CHÂTEAU-L'ARNAQUE

PETER MAYLE

CHÂTEAU-
L'ARNAQUE

roman

traduit de l'anglais par Jean Rosenthal

NiL

Titre original : THE VINTAGE CAPER
© Escargot Productions Ltd, 2009
Traduction française : NiL éditions, Paris, 2010

ISBN 978-2-84111-442-9
(édition originale : ISBN 978-0-307-26901-0 Alfred A. Knopf,
New York)

Pour Jon Segal
*Avec un grand merci**

---

* En français dans le texte. (*N.d.T.*)

1.

Danny Roth prit une dernière noisette de crème hydratante et, après l'avoir soigneusement fait pénétrer dans la peau de son crâne déjà luisant, s'assura qu'aucun épi ne subsistait sur son cuir chevelu. Lorsque, voilà quelque temps, la peau avait commencé à l'emporter sur la chevelure, il avait songé aux possibilités qu'offrirait une queue-de-cheval, souvent le premier refuge contre une calvitie naissante. « N'oublie pas, Danny, lui avait alors opposé sa femme Michelle, que sous chaque queue, c'est le cul d'un cheval qu'on découvre. » Il avait donc adopté le style boule de billard, se retrouvant du même coup en compagnie de stars diverses, de leurs gardes du corps et de leur cortège habituel de parasites.

Il s'examina dans la glace, étudiant plus particulièrement le lobe de son oreille gauche : il avait envie d'une boucle d'oreille et hésitait encore entre le symbole du dollar en or et une dent de requin en platine. Les deux conviendraient à la profession qu'il exerçait, mais seraient-ils assez virils ? Cette décision, difficile à prendre, attendrait.

Il abandonna le miroir et passa dans son dressing pour choisir la tenue qui lui permettrait de rencontrer ses clients de la matinée, puis de déjeuner à l'Ivy, et enfin d'assister dans la soirée à une projection privée. Une tenue classique (après tout, il était avocat), mais avec une touche de décontraction : ses clients appartenaient au monde du spectacle.

Quelques minutes plus tard, vêtu d'un costume de fine flanelle gris anthracite sur une chemise de soie blanche à col ouvert et des chaussettes jaune bouton-d'or dans des mocassins Gucci, il prit son BlackBerry sur sa table de chevet, envoya du bout des doigts un baiser en direction de son épouse endormie et descendit dans le somptueux décor de granit et d'acier inoxydable de la cuisine. Une cafetière pleine préparée par la femme de chambre l'attendait sur un plan de travail ainsi que *Variety*, *The Hollywood Reporter* et le *Los Angeles Times*. Le soleil matinal annonçait une journée magnifique. Bref, le monde tournait tel qu'il le devait pour un membre de l'élite hollywoodienne.

Roth n'avait guère de raisons de se plaindre du sort que la vie lui avait réservé. Une épouse jeune, blonde, élégante et mince ; un cabinet prospère ; un pied-à-terre à New York ; un chalet à Aspen et sa maison – son QG –, un édifice de trois étages de verre et d'acier dans le quartier protégé et étroitement surveillé de Hollywood Heights. C'était là qu'il gardait ses trésors.

À l'instar de nombre de ses contemporains, il avait amassé quantité d'accessoires socialement impressionnants. Des diamants et des penderies bourrées de toilettes de luxe pour sa femme ; trois Warhol et un Basquiat pour les murs de son salon ; un Giacometti, *L'Homme qui marche*, pour sa terrasse ; une Mercedes à portes papillons, en parfait état, pour son garage. Mais son péché mignon – et, dans un sens, la cause d'une certaine frustration –, c'était sa collection de vins.

Bien des années et beaucoup d'argent lui avaient été nécessaires pour constituer sa cave, une des plus belles caves privées de la ville, selon Jean-Luc lui-même, son consultant en vins. Peut-être même *la* plus belle. On y trouvait les meilleurs rouges de Californie et une abondante sélection des plus remarquables blancs de Bourgogne. Il y avait même trois pleines caisses du superbe yquem 75. Mais les joyaux de sa collection – et la source, bien compréhensible, d'un immense orgueil –, c'étaient ses quelque cinq cents bouteilles de bordeaux premier cru. Non seulement des crus classés, mais de grands millésimes. Lafite-rothschild 53, latour 61, margaux 83, figeac 82, pétrus 70 : ceux-là étaient rangés dans une cave aménagée sous la maison, dont on maintenait en permanence la température entre 13,4 °C et 14,4 °C et le degré d'hygrométrie à quatre-vingts pour cent. De temps en temps, quand une caisse se présentait sur le marché, Roth l'ajoutait à sa collection, mais il remontait rarement une de ces prestigieuses bouteilles pour les boire. Il lui suffisait de les *posséder*. Du moins, jusqu'à une date très récente, cela lui avait suffi.

Depuis plusieurs semaines, le plaisir qu'éprouvait Roth à contempler les trésors de sa cave s'était quelque peu émoussé. En effet, à part de très rares privilégiés, personne ne voyait jamais les bouteilles de latour, de margaux et de pétrus, et ceux qui en méritaient le privilège ne se montraient pas assez impressionnés. La veille au soir, par exemple, un couple de Malibu en visite avait eu droit au grand tour de la cave – 3 millions de dollars de vin ! – et ils n'avaient même pas pris la peine d'ôter leurs lunettes de soleil. Pire, ils avaient refusé l'Opus One servi avec le dîner et réclamé du thé glacé. Aucune manifestation d'admiration, aucun respect. Pour un collectionneur de vins, une soirée à pleurer.

Secouant la tête à ce souvenir, Roth s'arrêta sur le chemin du garage pour admirer le panorama : à l'ouest, Beverly Hills ; à l'est, le quartier de Thai Town et la Petite Arménie ; au sud, au-delà de l'immense étendue miroitant sous le soleil, les avions grands comme des jouets qui atterrissaient sur l'aéroport de Los Angeles ou en décollaient. Peut-être pas la plus jolie vue qu'on puisse rêver, surtout en cas de smog, mais on voyait de haut, on voyait loin, c'était une vue qui coûtait cher et, surtout, c'était *sa* vue. « C'est à moi, à moi tout seul », se disait-il parfois, notamment la nuit quand, sur des kilomètres, se déployait sous ses yeux le tapis étincelant des lumières.

Il se coula dans l'habitacle douillet de sa Mercedes et inhala le parfum du cuir bien entretenu et de la ronce de noyer soigneusement astiquée. Ce modèle-là était un des grands classiques de la marque, si ancien qu'il était antérieur à l'invention de la flasque incorporée, et Rafael, le gardien mexicain, le bichonnait comme une pièce de musée. Roth sortit avec précaution du garage et partit vers son bureau sur Wilshire Boulevard, son esprit revenant sans cesse à sa cave et à ce couple stupide de Malibu, que d'ailleurs il n'avait jamais aimé.

Penser à eux l'amena à considérer de façon plus philosophique les joies de la possession. Et là, Roth devait bien admettre que l'appréciation – voire l'envie – des autres constituait un élément indispensable à son plaisir. Quelle satisfaction, s'interrogea-t-il, peut-on trouver à posséder de belles choses que les autres ne voient pratiquement jamais ? Ce serait comme garder à l'abri des regards sa jeune et blonde épouse, ou condamner la Mercedes à rester confinée au garage. Et pourtant, ne conservait-il pas pour des millions de dollars les meilleurs vins du monde au fond d'une cave qui n'accueillait guère plus d'une demi-douzaine de visiteurs par an ?

Le temps d'atteindre le cube en verre teinté qui abritait son cabinet, Roth était parvenu à deux conclusions : la première, que la consommation discrète était pour les dégonflés ; la seconde, que sa collection de vin méritait un public plus étendu.

Il sortit de l'ascenseur et se dirigea vers son bureau, s'apprêtant déjà au *mano a mano* quotidien avec sa secrétaire, Cecilia Volpé. À proprement parler, elle n'était pas tout à fait à la hauteur : orthographe déplorable, mémoire fréquemment défaillante et dédain patricien envers nombre des clients de son patron. Tout cela n'empêchait pas des consolations : ses jambes spectaculaires, interminables, halées en permanence, rendues encore plus interminables par un stock apparemment inépuisable de talons de dix centimètres. Et puis elle était la fille unique de Myron Volpé, l'actuel chef de la dynastie des Volpé qui, voilà deux générations, s'était abattue sur l'industrie cinématographique, et y conservait encore en coulisse une influence considérable. Ainsi qu'on l'avait entendu dire à Cecilia, les Volpé étaient ce qui, à Hollywood, ressemblait le plus à une famille royale.

Roth la tolérait donc pour ses relations, malgré ses longues conversations téléphoniques, ses fréquentes absences pour aller se remaquiller et cette orthographe abominable. Quant aux obligations de Cecilia, qui considérait que le travail devait se caser entre deux rendez-vous, elles étaient essentiellement d'ordre décoratif et mondain. Le bureau de Roth lui apportait une base socialement acceptable, des tâches peu accablantes (elle disposait de sa propre secrétaire qui se chargeait de tous les détails assommants mais essentiels) et le plaisir de rencontrer de temps en temps les personnes à la célébrité plus ou moins justifiée constituant la liste des clients du cabinet.

Les frictions entre Roth et Cecilia étaient anodines et se limitaient généralement à un échange un peu vif concernant le programme au début de chaque journée de travail. Ainsi ce matin-là.

— Je sais, attaqua Roth alors qu'ils pointaient le premier nom sur son agenda – celui d'un acteur de

cinéma qui connaissait une seconde carrière à la télévision –, qu'il ne figure pas parmi vos préférés, mais
cela ne vous tuerait pas d'être aimable avec lui. Un
sourire, c'est tout. (Cecilia leva les yeux au ciel en
haussant les épaules.) Je ne vous demande pas de lui
sauter au cou, je vous demande simplement d'être
courtoise. Que lui reprochez-vous, d'ailleurs ?

— De m'appeler « poupée » et de toujours essayer
de me pincer les fesses.

Roth ne pouvait pas tenir rigueur à son client de
cette idée qui, à vrai dire, lui traversait fréquemment
l'esprit.

— Enthousiasme juvénile, minimisa-t-il, entrain de
jeune homme.

— Danny, riposta-t-elle en levant de nouveau les
yeux au ciel, il *avoue* soixante-deux ans.

— D'accord, d'accord. Je me contenterai donc
d'une politesse glaciale. Maintenant, écoutez... j'aimerais que vous m'aidiez dans un projet personnel, un
genre de reportage people. Je crois que c'est le bon
moment pour moi.

Cecilia haussa les sourcils, deux arcs parfaitement
épilés.

— Quel people ?

Roth poursuivit comme s'il ne l'avait pas
entendue.

— Vous savez que je possède une fabuleuse collection de vins ? (Il chercha un changement dans
l'expression de Cecilia, un frémissement d'appréciation de ses impassibles sourcils ; en vain.) Eh bien,
moi, j'en suis conscient et je suis disposé à accorder

une interview exclusive, dans ma cave, à un journaliste compétent. Voici l'angle : je ne suis pas simplement une machine à travailler. Je suis également un connaisseur, un homme de goût qui apprécie les belles choses de la vie : les grands crus, les millésimes, bordeaux, toutes ces foutaises poussiéreuses à la française. Qu'en pensez-vous ?

— Il y en a cent comme vous, lâcha Cecilia en haussant les épaules. L.A. regorge de fanas du vin.

— Vous ne comprenez pas, insista Roth en secouant la tête. C'est une collection unique, qui comprend des premiers crus de bordeaux rouges de millésimes exceptionnels : plus de cinq cents bouteilles. (Il marqua un temps pour bien souligner son propos.) Cela représente plus de 3 millions de dollars.

3 millions de dollars, voilà un concept que Cecilia était capable d'appréhender.

— Cool, fit-elle. Maintenant, je vois.

— Je pense à une exclusivité pour le *L.A. Times*. Vous y connaissez quelqu'un ?

Cecilia examina ses ongles un moment.

— Les propriétaires. Oui, Papa connaît les propriétaires. Il accepterait, je pense, de leur demander qui ils pourraient mettre sur l'histoire.

Roth sourit, se renversa dans son fauteuil et admira ses chevilles bouton-d'or.

— Formidable, se réjouit-il. Alors, ça roule.

L'interview avait été fixée un samedi matin et toute la maisonnée Roth, dûment briefée, se tenait sur le pied de guerre. On avait donné à Michelle un rôle de figuration au début de l'opération, celui de la charmante hôtesse, délaissée parfois, à l'en croire, par un mari passionné de grands crus. Rafael avait reçu pour consigne de tailler et retailler les bougain-villées pourpres qui tombaient en cascade le long du mur de la terrasse. Quant à la Mercedes, étincelante de son récent lustrage, on l'avait négligemment laissée traîner dans l'allée. Dans la cave, des enceintes dissimulées dans des renfoncements obscurs dis-tillaient un concerto pour piano de Mozart. Roth avait même songé à ouvrir une de ses précieuses bouteilles, mais finalement il n'avait pas pu se décider à un tel sacrifice. Le journaliste et le photo-graphe devraient se contenter du krug qui rafraîchis-sait dans un seau à glace en cristal trônant sur la table.

Un coup de téléphone du vigile chargé de la sécu-rité à la grille annonça l'arrivée du *L.A. Times*. Danny et Michelle prirent position en haut de l'escalier auquel menait l'allée et attendirent que les journa-listes sortent de leur voiture pour entamer leur majestueuse descente des marches.

— Mr Roth ? Mrs Roth ? Enchanté de vous ren-contrer. (Un homme costaud en veste de toile froissée s'avança vers eux, la main tendue.) Je suis Philip Evans, et ce magasin de photo ambulant, ajouta-t-il en désignant de la tête un jeune homme bardé d'équipement, est David Griffin. Les photos, c'est lui, les mots, c'est moi. (Evans pivota sur ses talons pour faire face au sud.) Waouh ! Quelle vue !

Roth balaya le panorama d'un geste de propriétaire.

— Attendez d'avoir vu la cave.

— Danny, intervint alors Michelle en regardant sa montre, j'ai beaucoup de coups de fil à donner. Je vous laisse ici, les garçons, si vous promettez de me garder une coupe de champagne.

Et, avec un sourire et un petit signe d'adieu de la main, elle retourna dans la maison.

Roth les fit entrer dans la cave et, pendant que le photographe réglait les problèmes d'éclairage, on commença l'interview.

Evans se comportait un peu en reporter à l'ancienne ; aux hypothèses, il préférait les faits, aussi consacra-t-il une heure à évoquer l'histoire de Roth : les premiers jours dans le milieu du spectacle, sa découverte des bons vins, sa passion croissante pour les grands millésimes, son installation d'une cave techniquement parfaite. En fond sonore, ponctuant la musique de Mozart, on entendait les déclics et le ronronnement de l'appareil photo tandis que le photographe mitraillait la cave sous tous les angles.

Roth, dont la vie professionnelle consistait à parler au nom de ses clients, découvrait le bonheur de se raconter à un auditeur attentif. À tel point qu'il fallut une question d'Evans sur le champagne millésimé pour lui rappeler d'ouvrir le krug. Ce qui – effet fréquent d'une ou deux coupes – donna bientôt à l'interview un ton plus détendu et moins réservé.

— Mr Roth, poursuivit Evans, je sais que c'est par plaisir que vous collectionnez ces vins merveilleux, mais n'êtes-vous jamais tenté d'en vendre ? Vous avez certainement investi ici une somme considérable.

— Voyons, répondit Roth en parcourant du regard les casiers de bouteilles et les caisses soigneusement empilées. Le latour 61, par exemple, irait chercher entre 100 000 et 120 000 dollars la caisse, le margaux 83 dans les 10 000 et le pétrus 70 – ma foi, le pétrus atteint toujours des chiffres impressionnants. Je dirais qu'il vaut environ 30 000 dollars, si vous arrivez à en trouver. Chaque fois qu'on boit une bouteille de ce millésime, sa rareté en fait monter le prix autant que sa qualité. (Il remplit leurs coupes et examina la délicate spirale des bulles remontant du fond.) Mais, pour répondre à votre question : non, je ne suis pas tenté de vendre. Pour moi, ajouta-t-il en souriant, c'est comme une collection d'art. De l'art liquide.

— À vue de nez, reprit Evans, à combien estimez-vous votre collection ?

— À l'heure actuelle ? Le bordeaux vaut environ 3 millions. Cela ne fera qu'augmenter avec le temps. Comme je vous le disais, la rareté fait monter les prix.

Le photographe, qui avait épuisé les possibilités artistiques des bouteilles et des casiers, s'approchait maintenant de Roth, posemètre à la main, pour mesurer la lumière.

— C'est l'heure du portrait, Mr Roth, annonça-t-il. Puis-je vous prendre devant la porte, une bouteille à la main, par exemple ?

Roth réfléchit un instant puis, avec d'infinies précautions, tira de son berceau un magnum de pétrus 1970.

— Qu'est-ce que vous en dites ? 10 000 dollars pour vous si jamais vous réussissez à en trouver !

— Parfait. Maintenant, un peu plus à gauche, de façon que la lumière éclaire votre visage, et essayez de remonter un peu la bouteille vers votre épaule. (*Clic clic clic.*)

Cela dura encore cinq minutes, ce qui permit à Roth de varier son expression du connaisseur heureux à l'investisseur sérieux.

Puis Roth et Evans laissèrent le photographe ranger son matériel et allèrent l'attendre dehors.

— Vous avez tout ce que vous voulez ? interrogea Roth.

— Absolument, dit le journaliste. De quoi faire un très beau reportage.

Et ce le fut. Une pleine page de la section week-end (qui titrait, comme on pouvait s'y attendre, « Les vignes d'un seigneur ») avec une photographie grand format de Roth berçant son magnum dans ses bras ainsi que plusieurs vues plus petites de la cave, accompagnées d'un texte flatteur et détaillé. Non seulement flatteur, mais regorgeant aussi du type de précisions qu'attendent les amateurs de vin : du nombre de bouteilles produites pour chaque millésime aux notes de dégustation données par des experts ; des variétés de raisin à des détails plus ésotériques tels que les dates du début des vendanges, les périodes de fermentation, la nature des sols et le contenu en tanin. Et, parsemant le texte comme des truffes dans du foie gras, les prix. Exprimés généralement par caisse ou par bouteille, mais aussi parfois en utilisant des mesures plus petites et donc plus abordables, comme 250 dollars le verre ou même (pour l'yquem) 75 dollars la gorgée.

Roth lut et relut l'article qui le satisfaisait largement : il en ressortait, estimait-il, comme un homme sérieux et bien informé. Aucun côté tape-à-l'œil ou nouveau riche, à condition, bien sûr, que le lecteur ne s'attarde pas sur les mentions faites en passant du chalet à Aspen ou du goût de Roth pour les jets privés. Mais même ces allusions étaient parfaitement acceptables, voire normales, dans les couches supérieures de la société californienne du XXIe siècle. Tout bien pesé, Roth était convaincu que le reportage avait atteint son but. Le monde – ou, du moins, le monde qui comptait, *son* monde – savait désormais qu'il n'était pas seulement un riche et brillant homme d'affaires, mais aussi un aficionado de grands crus, un véritable mécène de la vigne.

Il en eut d'ailleurs la confirmation dans les jours qui suivirent la parution de l'article. Les maîtres d'hôtel et les sommeliers de ses restaurants préférés le traitaient avec un rien de déférence supplémentaire et saluaient d'un hochement approbateur ses choix sur la carte des vins. Des relations d'affaires l'appelaient pour lui demander son avis sur leurs propres caves, certes moins distinguées. Des magazines sollicitaient des interviews. L'article avait été repris par l'*International Herald Tribune*, qu'on lisait dans le monde entier. Du jour au lendemain, semblait-il, Danny Roth était devenu l'homme du vin.

2.

Cette veille de Noël à Los Angeles ne dérogeait pas aux habitudes, et tous les accessoires ad hoc étaient de sortie : des pères Noël – avec lunettes de soleil et, pour certains, en short rouge à cause de la chaleur – agitant leur cloche et leur fausse barbe investissaient les quartiers les plus prospères de la ville. À Beverly Hills, des pelouses parmi les plus décorées avaient été saupoudrées de neige artificielle *made in China*. Rodeo Drive scintillait du chatoiement platine des cartes American Express. Un bar de Wilshire proposait de onze heures du matin à minuit des tarifs réduits sur les consommations avec, en prime, des martinis bio. Et des membres de la police de L.A., débordant de bienveillance envers leur prochain, distribuaient avec une générosité inhabituelle des contraventions pour stationnement illicite ou conduite en état d'ivresse.

À la tombée de la nuit, une ambulance qui se frayait tant bien que mal un chemin à travers le flot de la circulation de Sunset en direction des collines stoppa devant la barrière de sécurité à l'entrée de

Hollywood Heights. Le vigile, bâillant d'ennui après des heures sans incidents, émergea de sa guérite climatisée.

— C'est pour quoi ? fit-il en observant les deux occupants de l'ambulance.

Le chauffeur, vêtu d'une impeccable tenue blanche d'hôpital, se pencha par la vitre ouverte.

— Ça a l'air sérieux, mais nous n'en serons sûrs qu'une fois sur place. Un appel de la résidence Roth.

Le vigile hocha la tête et regagna sa forteresse miniature pour appeler la propriété des Roth. Le chauffeur le vit hocher de nouveau la tête avant de raccrocher le téléphone et de lever la barrière. En consultant sa montre pour enregistrer le passage dans son journal, le vigile constata que son service se terminait dans dix minutes. Pas de chance pour son remplaçant, qui allait passer sa soirée de réveillon devant la télé du poste de garde, à regarder des rediffusions.

Un Rafael manifestement agité (c'est lui qui avait donné le feu vert au vigile) accueillit l'ambulance devant le Château Roth. Les propriétaires, qui passaient Noël à Aspen, lui avaient confié la responsabilité du domaine en leur absence, et seule la perspective de franchir discrètement la frontière mexicaine avec 50 000 dollars en espèces avait pu le convaincre d'abandonner cet emploi confortable quoique non déclaré. Il guida les deux ambulanciers jusqu'à la cave et les fit entrer.

Méthodiquement, sans se presser, ils enfilèrent des gants en caoutchouc pour décharger des cartons vides marqués au nom d'un établissement vinicole de Napa Valley. Une rapide inspection de la cave leur révéla que les bouteilles de bordeaux occupaient une section à part, ce qui était bien commode. Il leur faudrait ainsi moins de temps pour examiner les chais. Procédant d'après une liste, ils commencèrent à ranger les bouteilles dans les cartons, cochant au fur et à mesure les noms et les millésimes. Ils chargèrent Rafael de déposer les cartons remplis à l'arrière de l'ambulance en le prévenant que la moindre casse lui coûterait cher.

Chaque carton contenait une douzaine de bouteilles ou six magnums. Quand ils eurent terminé, quarante-cinq cartons avaient été remplis et chargés. Après un dernier pointage et un coup d'œil de regret aux vins de Californie de Roth ainsi qu'à ses boîtes de havanes pré-Castro, ils éteignirent les lumières de la cave et refermèrent la porte. À présent, il fallait qu'ils réaménagent l'intérieur de l'ambulance.

Les cartons, soigneusement entassés de chaque côté du brancard, furent dissimulés sous des couvertures d'hôpital. On borda sur la civière Rafael, maintenant tellement nerveux qu'il justifiait presque une authentique urgence, et on le brancha à un faux goutte-à-goutte de morphine censé apaiser les douleurs de sa fausse crise d'appendicite. Ainsi apprêtée, l'ambulance redescendit jusqu'à la loge, ne s'arrêtant que le temps de souhaiter un joyeux Noël au nouveau vigile, puis disparut dans la nuit, ses gyrophares clignotant.

Le chauffeur eut un grand sourire en entendant des mouvements à l'arrière de l'ambulance.

— Bon, Rafael, il est temps de te lever, on te dépose avant d'entrer sur l'autoroute. (Il tira une enveloppe de sa poche et la lui passa par-dessus son épaule.) Tu ferais mieux de compter. C'est tout en billets de cent.

Cinq minutes plus tard, l'ambulance s'arrêtait dans une petite rue sombre pour laisser descendre Rafael. La halte suivante fut pour une remise située dans une rue encore plus sombre d'un quartier misérable de L.A. Ouest où les cartons de vin furent transférés de l'ambulance dans une camionnette anonyme. Après avoir abandonné l'ambulance – dont ils avaient retiré les plaques d'immatriculation – sur le parking d'un hôpital voisin, les deux hommes prirent la direction de Santa Barbara à bord de la camionnette.

3.

Roth était enchanté de son séjour à Aspen : parmi la foule des people venus skier et parader, il était parvenu à faire la connaissance de trois ou quatre clients potentiels. Grâce en grande partie au reportage du *L.A. Times* – ce qui le surprit. L'article avait beau remonter au mois de septembre, ces célébrités – en nombre cette année-là et qui se proclamaient « grands amateurs de vin » – avaient toutes lu ce que l'on disait de sa collection. Au lieu des traditionnels sujets de conversation qui animaient la station – adultères, tuyaux sur la Bourse, chirurgie esthétique, ragots des studios –, on ne parlait plus que caves et millésimes, Bordeaux contre Californie, vieillissement optimal et, bien entendu, prix du vin.

Roth disserta devant des auditoires, réduits mais passionnés, de personnages que leur notoriété aurait normalement laissés hors de son cercle habituel de relations, ce qui sous-entendait des possibilités d'ordre professionnel dont il était bien conscient. Si, aujourd'hui, on parlait vin, on pourrait fort bien demain entamer une juteuse discussion de contrat.

Durant toute cette semaine de Noël, les skis de Roth ne virent même pas la neige et Michelle profita seule de leur moniteur personnel.

Au retour, ils partagèrent un jet avec un couple de L.A. qu'ils ne connaissaient que vaguement et qui avait été fort impressionné de voir Roth en si brillante compagnie. D'un geste, Roth coupa court à leurs flatteries et déplora d'un ton jovial d'avoir été bien trop occupé pour faire du ski. On comprenait par là qu'il avait parlé affaires, et non bordeaux, et cela lui convenait parfaitement. Bref, la conclusion satisfaisante d'une semaine extrêmement satisfaisante.

Sa bonne humeur dura jusqu'au soir, jusqu'à leur arrivée à Hollywood Heights où ils ne purent que constater que Rafael n'était pas là pour les accueillir. Il n'avait pas laissé de mot pour expliquer son absence. Voilà qui était inhabituel et contrariant. Mais, en passant de pièce en pièce, ils commencèrent à se détendre : les Warhol étaient aux murs, le Giacometti arpentait la terrasse ; on n'avait apparemment touché à rien. Dans le petit appartement en sous-sol de Rafael, ses vêtements étaient toujours accrochés dans la penderie et son lit soigneusement fait. Aucun signe d'un départ soudain. Les Roth allèrent se coucher de bonne heure, intrigués, irrités, mais pas autrement inquiets.

Ce ne fut que le lendemain matin que Roth descendit à la cave.

— Nom de Dieu ! (Ce rugissement de douleur faillit faire tomber Michelle de son tapis roulant. Elle

27

se précipita dans la cave où elle trouva Roth contemplant, comme hypnotisé, un mur de casiers à bouteilles complètement vide.) Mes bordeaux ! Absolument toutes les bouteilles. Il n'en reste pas une seule. (Roth se mit à marcher de long en large, les poings crispés de fureur. Si sa calvitie ne l'en avait pas empêché, il se serait arraché les cheveux.) Si jamais j'attrape cet enfant de salaud, je le tue.

Marmonnant d'autres menaces toutes plus terribles les unes que les autres, il monta chercher son BlackBerry et appela coup sur coup le vigile à l'entrée, la police et sa compagnie d'assurances.

Le vigile arriva le premier, son registre à la main. Roth avait plus ou moins retrouvé ses esprits.

— Bon, je veux savoir qui est entré dans ma maison et quand, et pourquoi, bon Dieu, on ne les a pas arrêtés à la grille, rugit-il en enfonçant son doigt dans la poitrine du vigile. Et je veux connaître le nom du trou du cul qui était censé être de service à ce moment-là.

— Je vais vous le dire, Mr Roth. (L'homme, remerciant en silence le ciel de ne pas avoir été de garde à cette heure-là, consulta son journal des entrées et finit par lever les yeux, le triomphe se mêlant dans son regard au soulagement.) Je l'ai. Le soir du réveillon de Noël, il y a eu une sorte d'urgence médicale. Une ambulance est entrée à 20 h 20, ressortie à 22 h 50. C'est Tom qui était de garde. Votre gardien a donné le feu vert.

— Je pense bien, le salopard. (Roth lui prit le registre des mains et l'examina comme s'il espérait y trouver d'autres révélations.) C'est tout ? Pas de nom d'hôpital ? de médecin ? Seigneur !

— Nous avons le numéro d'immatriculation. Et je crois que le chauffeur a dit qu'il s'agissait d'une urgence.

— Comment donc ! Il avait hâte de mettre la main sur mon vin.

Roth secoua la tête et rendit le cahier au vigile qui s'éclipsa avec déférence. Il arriva à la grille juste en même temps que la police : deux inspecteurs à l'air las, dépêchés sur une affaire dont ils sentaient déjà qu'elle leur ferait perdre leur temps.

— Bon, leur dit Roth d'emblée, je contribue généreusement aux œuvres de vos services, alors ce serait agréable, pour une fois, d'en avoir pour mon argent. Suivez-moi.

Les inspecteurs hochèrent la tête à l'unisson, la même pensée leur traversant l'esprit : encore un gros bonnet qui s'attend à un traitement de faveur parce que, chaque Noël, il envoie un chèque de 100 dollars aux Orphelins de la police.

À peine eurent-ils franchi la porte de la cave que Roth démarra.

— Vous voyez ça ? lança-t-il en désignant les casiers vides. 3 millions de dollars de vins que j'ai mis dix ans à rassembler et qui sont irremplaçables. Et ces salauds savaient ce qu'ils faisaient. Ils n'ont pris que les bordeaux.

— Mr Roth. (L'aîné des inspecteurs avait sorti son carnet tandis que son équipier entreprenait d'examiner la cave.) Laissez-moi noter quelques détails. Maintenant, quand...

— Vous voulez des détails ? Le soir du réveillon de Noël, nous étions absents, et une ambulance se pointe à la grille avec cette histoire d'urgence à dormir debout. Le vigile appelle la maison et notre gardien lui donne le feu vert.

— Le nom du gardien ?

— Torres. Rafael Torres.

— Mexicain ?

— Ça vous paraît un nom juif ?

L'inspecteur soupira. Un mariole.

— Mr Roth, je dois vous demander si votre gardien possédait une *green card.* Un numéro de Sécurité sociale ? Autrement dit, était-il en situation légale ?

— Eh bien, pas exactement, répondit Roth, hésitant. Mais qu'est-ce que cela change ? Il les a laissés entrer et ils ont dû l'emmener avec eux. Parce que, quand nous sommes rentrés d'Aspen hier soir, il n'était pas ici. Et puis, ce matin, j'ai regardé dans la cave. (Roth se tourna vers les casiers vides en ouvrant les mains.) 3 millions de dollars !

L'inspecteur leva les yeux de son carnet en secouant la tête.

— L'ennui, Mr Roth, c'est que nous sommes aujourd'hui le 31 décembre. Le cambriolage remonte à sept jours. Ces individus savaient ce qu'ils voulaient et ils se sont arrangés pour entrer et le prendre. Nous allons chercher d'éventuelles empreintes, mais... (Il secoua de nouveau la tête.) C'est du travail de professionnels. Ils n'auront pas laissé leur adresse.

Au tour de Roth de pousser un soupir. Un flic qui faisait le malin. Il ne manquait plus que ça.

Le policier s'arrêta d'écrire et remit son carnet dans sa poche.

— Nous enverrons les techniciens de l'identité judiciaire dans le courant de la journée et nous interrogerons le vigile en poste à la grille. Il a pu remarquer à propos de l'ambulance un détail susceptible de nous mettre sur une piste. Nous vous recontacterons dès que nous aurons quelque chose. En attendant, je vous conseille de ne toucher à rien dans la cave.

Roth passa le reste de la matinée au téléphone. En premier lieu, il chercha à joindre Cecilia Volpé, mais il tomba sur la réceptionniste qui lui rappela qu'il avait accordé à sa secrétaire un congé exceptionnel pour se faire poser une extension de cheveux et donner un coup de spray autobronzant sur tout le corps en prévision des fêtes du Nouvel An. Ce qui l'obligea à reprogrammer lui-même ses rendez-vous de la journée. De son côté, Michelle naviguait d'une penderie à l'autre, cherchant la tenue qui conviendrait pour la réception qu'ils donnaient le soir même à Beverly Hills. Roth arpentait la maison, le téléphone toujours collé à l'oreille. Chaque fois qu'il pensait à sa cave, le vide béant lui paraissait plus grand. Même la vue qu'on avait de la terrasse était enveloppée d'une épaisse couche de smog.

Au début de l'après-midi – à l'heure où il devait rencontrer le représentant de la compagnie d'assurances –, il était convaincu que le destin lui en voulait.

Elena Morales, la vice-présidente de Knox Worldwide, responsable des sinistres des clients privés, arriva à trois heures précises. Dans des circonstances normales, Roth aurait déployé plus de charme : Elena – ainsi que le lui répétaient ses nombreux admirateurs – était bien trop jolie pour le métier d'assureur. Elle avait des yeux chocolat foncé, des cheveux d'un noir de jais et une silhouette tout à fait à la hauteur des standards les plus exigeants de Hollywood. Mais aujourd'hui, tout cela laissait Roth de marbre.

Elena eut à peine le temps de lui tendre sa carte de visite qu'il avait déjà donné le ton de l'entretien :

— J'espère que vous n'allez pas me débiter les foutaises habituelles des assurances.

Elena avait l'habitude de ce genre de réaction et des colères de ses clients fortunés. Les riches, isolés par l'argent et protégés par leurs privilèges, n'étaient pas, de nature, équipés pour faire face aux dures réalités de la vie. Confrontés à n'importe quelle perte, ils avaient tendance à se comporter en enfants gâtés : égoïstes, déraisonnables, hystériques souvent. Tout cela, Elena le savait par cœur.

— De quel genre de foutaises s'agirait-il, Mr Roth ?

— Vous voyez fort bien ce que je veux dire. Toutes ces conneries en caractères minuscules sur les circonstances atténuantes, les termes et les conditions, la responsabilité limitée, les exceptions aux risques couverts, les cas de force majeure, les points faibles de la police, les clauses échappatoires...

Roth s'arrêta pour reprendre haleine tout en cherchant d'autres exemples des pratiques iniques des compagnies d'assurances.

Elena gardait le silence. L'expérience lui avait appris à laisser la nature suivre son cours. Tôt ou tard, les clients se trouvaient à bout de souffle et d'invectives.

— Alors ? reprit-il. Il ne s'agit pas ici de clopinettes. Nous parlons de 3 millions de dollars.

Elena jeta un coup d'œil à l'exemplaire de la police d'assurance de Roth qu'elle avait apportée. Suivant les instructions de celui-ci, les bordeaux avaient été assurés séparément, mais pas tout à fait pour 3 millions. Elena soupira.

— En fait, Mr Roth, la somme qui figure au contrat est de 2,3 millions de dollars. Mais nous pourrons en discuter plus tard. J'ai déjà contacté la police de Los Angeles, je connais donc la plupart des détails, mais naturellement nous devrons de notre côté mener notre propre enquête.

— Combien d'années cela va-t-il prendre ? Le vin a disparu. Il était assuré. Que vous faut-il de plus ?

Elena regarda la veine qui battait sur la tempe de Roth telle un ver agité de furieuses palpitations.

— Je crains, Mr Roth, que cela ne soit indispensable à notre procédure d'indemnisation. Nous ne pouvons verser de chèque substantiel avant d'avoir pleine connaissance des circonstances du cambriolage. Je suis navrée, mais c'est la pratique normale. Ce cas est un peu plus compliqué car le vol a manifestement été rendu possible par un membre de votre domesticité. Nous devons donc nous montrer d'autant plus vigilants, voilà tout.

— C'est scandaleux, déclara Roth en s'approchant d'Elena pour la regarder d'un air mauvais.

Insinueriez-vous que j'ai quelque chose à voir là-dedans ? C'est cela ?

Elena se leva et glissa dans son porte-documents la police d'assurance de Roth.

— Je n'insinue rien du tout, Mr Roth, dit-elle en faisant claquer le fermoir. Bien, je crois que nous n'arriverons à rien de bon aujourd'hui. Quand vous serez moins énervé, peut-être aurez-vous l'occasion d'envisager...

— Je vais vous dire ce que j'ai eu l'occasion d'envisager. On m'a volé pour 3 millions de vin et vous, avec vos foutues procédures et vos abracadabrantes « pratiques normales », vous faites tout ce que vous pouvez pour esquiver vos responsabilités légales. Je veux qu'on me rende mon vin ou bien je veux un chèque certifié de 3 millions de dollars. Est-ce clair ?

Elena se dirigea vers la porte.

— Tout à fait clair, Mr Roth. Notre enquêteur va prendre contact avec vous. Bonne et heureuse année.

« Je n'aurais pas dû dire cela, songeait Elena en roulant vers son bureau. En cet instant même, il est sans doute au bord de la crise cardiaque. » Elle se demanda, et ce n'était pas la première fois, si le salaire qu'elle percevait compensait l'arrogance et la malhonnêteté qu'il lui fallait tolérer. Le culot de ce type qui essayait de gonfler de 700 bâtons la valeur assurée de son vin. La sonnerie de son portable interrompit ses réflexions : c'était son patron.

— Je viens d'avoir Roth au téléphone. Le rendez-vous semble ne pas s'être très bien passé. Parlons-en un peu quand vous reviendrez au bureau.

Le président de Knox Worldwide, un homme d'un certain âge dont l'apparente bienveillance masquait un esprit vif et une répugnance professionnelle à verser de l'argent, se leva lorsque Elena entra dans son bureau. C'était une des choses qu'elle aimait chez Frank Knox, cette note de courtoisie dans un monde de plus en plus grossier. Il fit le tour de son bureau et ils s'installèrent dans deux fauteuils en cuir fatigués près de la fenêtre. Knox éprouvait une certaine fierté à avoir conservé le décor dans lequel il travaillait depuis trente-cinq ans. Le vieux bureau massif, les lourdes bibliothèques en noyer, les beaux tapis d'Orient (aujourd'hui un peu élimés), les tableaux légèrement craquelés représentant cerfs et autres nobles créatures, tout cela appartenait au siècle passé et, comme Knox lui-même, était élégant, patiné et confortable.

— Encore une journée pleine de distractions à Hollywood, commença-t-il en souriant. Racontez-moi.

Elena lui rapporta ce qu'elle avait appris de l'inspecteur chargé de l'affaire et donna à Frank un bref aperçu du comportement de Roth, y compris de sa tentative pour gonfler la valeur assurée du vin.

— Croyez-moi, Frank. Il écumait pratiquement. Il disait n'importe quoi. Je n'avais aucune raison de rester.

Le vieil homme acquiesça.

— J'en ai eu un échantillon quand il m'a téléphoné. (Il regarda par la fenêtre, ses doigts pianotant sur le bras de son fauteuil.) Bon, résumons. Le vol date de sept jours, largement le temps pour n'importe qui de disparaître. La police estime que c'est du travail de pros. Un coup monté par quelqu'un de la maison, rendu possible par un immigré illégal. Je dirais qu'il n'y a pas la moindre chance de retrouver sa trace. Et notre ami Mr Roth saute comme un cabri en réclamant un chèque certifié.

— De 3 millions, précisa Elena.

— C'est ce qu'il souhaite. Malheureusement pour lui, il n'a assuré ses bordeaux que pour 2,3 millions. Une pareille somme a tout de même une incontestable valeur sentimentale et je serais navré de m'en séparer. (Le vieil homme se pencha en avant.) Combien de bouteilles m'avez-vous dit qu'on avait volées ?

— Entre cinq et six cents – enfin, selon Roth.

— Les boire prendra un certain temps. Voici peut-être ce que nous devrions rechercher : non pas les voleurs, mais le vin. Il ne va pas être facile de se débarrasser de cinq cents bouteilles, à moins que les voleurs n'aient agi sur commande. (Il se leva et sourit à Elena.) Il nous faut un fin limier. Vous avez une idée ?

4.

Assise à son bureau, Elena considérait les options qui s'offraient à elle. À en juger par la récente conversation qu'elle avait eue avec le commissaire principal, la police de Los Angeles n'allait probablement pas poursuivre l'enquête avec beaucoup de zèle. La piste était déjà froide et on ne disposait d'aucun indice. Elle voyait le dossier prendre la poussière pendant des années.

Pour l'aider dans d'autres affaires, elle avait jadis fait appel à des experts indépendants, à des enquêteurs spécialisés dans divers aspects de crimes et de catastrophes, depuis le vol de bijoux jusqu'à l'effondrement d'un immeuble. Mais le vin ? Elle n'avait jamais eu auparavant à s'occuper de vin volé – et en une telle quantité. Cinq cents bouteilles disparues comme par enchantement avec l'efficacité d'une opération militaire. Une seule certitude : ces bouteilles volées n'allaient pas se retrouver sur eBay. Il s'agissait probablement d'un vol commandité, un cambriolage planifié et financé par Dieu sait qui, vraisemblablement un autre collectionneur. Si c'était le cas, tout ce qu'elle avait à faire, c'était de trouver un connaisseur en vins avec des tendances criminelles. Un jeu d'enfant. Il ne pouvait pas y en avoir plus de quelques milliers dispersés à travers le monde.

Un fin limier, voilà ce qu'il leur fallait, avait dit Frank. Mais un limier pas comme les autres; un limier avec de l'imagination et des contacts peu conventionnels, dans l'idéal avec une expérience de première main de canailles à l'ouvrage.

Tout en réfléchissant, Elena consultait son Rolodex. Elle s'arrêta à la lettre L, regarda le nom sur la carte et poussa un soupir. À n'en pas douter, il serait l'homme de la situation. Mais avait-elle vraiment envie de reprendre contact avec lui? « Cette fois, se dit-elle en appelant sa secrétaire, il faudra le tenir à distance et que nos relations restent strictement professionnelles. »

— Voyez si vous pouvez me trouver Sam Levitt, s'il vous plaît. Il est au Château Marmont.

Le CV de Sam Levitt, s'il avait commis la folie d'en rédiger un, aurait donné quelque chose de tout à fait inhabituel.

Lorsque, étudiant à la faculté de droit, il se demandait comment il allait rembourser le prêt qu'on lui avait accordé pour terminer ses études, il s'était intéressé à l'activité criminelle comme moyen de se procurer de grosses sommes d'argent. Mais, comme il n'était pas enclin à la violence, il n'était pas attiré par l'idée du crime de sang. Trop grossier, sans subtilité, et, ce n'était pas le moins, fichtrement trop dangereux. Ce qui le séduisait, c'était l'emploi de l'intelligence comme arme du crime. Le cerveau, pas le flingue.

Ainsi, tout naturellement, puisqu'il avait choisi de faire carrière en renonçant au crime de sang, il se lança dans le monde du droit des affaires. Il travailla des heures avec acharnement et il gagna de l'argent. Et, grâce à l'obligation de recevoir dignement les clients, il acquit le goût de la bonne chère et du bon vin. Un problème pourtant se posait qui s'aggravait chaque année. C'était l'ennui, provoqué par ces mêmes clients. Des hommes assommants qui, à force de cupidité et de talent, avaient amassé des fortunes et qui ne pensaient qu'à une chose : en amasser encore plus. Des dépeceurs de sociétés, des acquéreurs d'entreprises par effet de levier, des maîtres de l'OPA – tous prosternés devant l'autel du cours de la Bourse. Levitt les trouvait de plus en plus ennuyeux et avait de plus en plus de mal à dissimuler la répugnance que lui inspirait leur monde.

La goutte d'eau qui fit déborder le vase, ce fut lors d'un week-end à la campagne organisé par des pontes de la finance, une orgie entre magnats des affaires qui le laissa profondément déprimé et avec une terrible gueule de bois. Sur un coup de tête, il donna sa démission et se mit à chercher une activité criminelle plus directe et, dans une certaine mesure, plus honnête. « Ouvert à toute proposition » devint sa nouvelle devise, à condition qu'il ne s'agisse ni d'armes, ni de bombes, ni de drogue.

C'est ici que le CV imaginaire de Levitt se fait plus avare de détails, voire un peu obscur. Il passa quelque temps en Russie et acquit une sérieuse connaissance de plusieurs pays d'Amérique du Sud et d'Afrique. Par la suite, il appellerait cela sa période d'import-export, quelques années mouvementées comportant de grands risques souvent grassement récompensés. Elle se termina par un séjour bref mais mémorable dans une geôle congolaise qui lui valut trois côtes fêlées, un nez cassé et lui coûta un pot-de-vin substantiel pour sortir de là. Cette expérience l'incita à considérer que le moment était peut-être venu de procéder à un nouvel ajustement de carrière. Comme bien des Américains quand ils veulent faire le point sur leur vie, il alla s'installer à Paris.

Il consacra les premières semaines à rattraper son retard côté filles et gastronomie après les privations de l'Afrique. Il ne lui fallut pas longtemps pour que Paris lui fasse comprendre à quel point il connaissait mal cette chose qu'il aimait tant : le vin. À l'instar de la plupart des amateurs dotés d'un palais réceptif, il pouvait distinguer le bon de l'ordinaire et l'exceptionnel du bon. Mais il lui arrivait souvent de se laisser emberlificoter par le chuchotement séducteur des sommeliers. Et puis les cartes des vins parisiennes étaient pleines de noms de châteaux qu'il ignorait. C'était frustrant. Il voulait savoir et non deviner. Alors, comme il avait tout à la fois du temps et de l'argent, il décida de s'offrir une formation de six mois à l'université du vin de Suze-la-Rousse, un établissement d'enseignement supérieur commodément situé dans la région des côtes-du-rhône.

Il découvrit là une nette amélioration par rapport à la faculté de droit. D'abord, évidemment, la matière enseignée était beaucoup plus plaisante. Et puis ses condisciples cosmopolites – Français, Anglais, Chinois, quelques Indiens venus en pionniers, et les inévitables Écossais – étaient bien plus intéressants. Les excursions sur le terrain à l'Hermitage (berceau des vins les plus « virils » du monde), Côte-Rôtie, Cornas et Châteauneuf-du-Pape étaient à la fois délicieuses et instructives. Il commença à apprendre un peu de français et envisagea même brièvement d'acheter un vignoble. Le temps passait vite.

Mais il n'était pas disposé à s'enterrer dans la campagne française et, après des années de voyage, il avait la nostalgie de l'Amérique. Son pays avait-il changé pendant son absence ? Et lui, avait-il changé ?

Sur un point, absolument pas. Il gardait cette fascination pour le crime ingénieux et sans effusion de sang et, comme la fin de ses cours approchait, il songeait de plus en plus fréquemment à se remettre à travailler – mais d'une façon différente. Les souvenirs qu'il conservait des prisons congolaises étaient encore vivaces. Cette fois, se dit-il, il opérerait dans la légitimité comme enquêteur et consultant en affaires criminelles. Ou, ainsi qu'il aimait le concevoir, comme un braconnier devenu garde-chasse.

Pour un homme qui aimait la vie au soleil, le choix de Los Angeles était presque inévitable. L.A. avait tout : un climat délicieux, l'argent et l'extravagance, une forte proportion de multimillionnaires impliqués dans des affaires peu claires, les pitoyables excès de l'industrie cinématographique, une abondance de jolies filles et de célébrités. Bref, tous les ingrédients d'une vie amusante. Et il ne fallut pas longtemps à Levitt pour trouver l'endroit idéal où s'installer.

Le château Marmont, niché dans West Hollywood, en retrait de Sunset Boulevard, avait été conçu pour être le premier immeuble antisismique de L.A. Hélas, on l'inaugura en 1929, à l'époque où les secousses financières que subissait Wall Street et la crise rendaient impossible la vente d'appartements. Il était plus facile de vendre des chambres, et le château devint un hôtel aux suites somptueuses.

C'était pour Sam un de ses principaux attraits, mais il y en avait bien d'autres : l'absence de responsabilités domestiques, un personnel efficace et charmant, une entrée discrète, une situation commode et une atmosphère détendue. Contrairement à la plupart des établissements de ce genre, le château avait du caractère, une vraie personnalité. Et on y trouvait des suites disponibles pour les hôtes permanents. Après un séjour d'essai, Sam devint l'un d'eux. Il s'installa dans une petite suite au cinquième étage et se mit en quête de clients, ce qui n'était pas trop difficile à L.A. : quand on est riche, on a toujours des ennuis.

Le fait que l'argent ne fût pas un problème lui permit de choisir uniquement les affaires qui l'intéressaient : les escroqueries et les arnaques les plus insolites, les disparitions les plus mystérieuses, les vols les plus haut de gamme. Il avait trouvé sa niche et, très vite, il s'était fait dans certains milieux la réputation d'un homme qui obtenait des résultats et qui savait se taire.

Elena l'appela alors qu'il se remettait d'une vigoureuse demi-heure au gymnase de l'hôtel.

— Sam, c'est Elena. (Elle hésita.) Sam, je te dérange? Tu es tout essoufflé.

— C'est le son de ta voix, Elena. Ça me fait toujours cet effet. Comment vas-tu?

— Débordée. C'est pourquoi je t'appelle. Il faut que je te parle. Tu es libre pour déjeuner demain?

— Bien sûr. Tu veux venir à l'appartement? Comme au bon vieux temps?

— Non, Sam. Je ne viens pas chez toi et cela ne va pas être comme au bon vieux temps. Il s'agit de travail. Tu te souviens du mot, de *travail*.

— Tu as un cœur de pierre. Bon, je retiens une table en bas pour douze heures trente. Dis donc, Elena...

— Quoi?

— Ce sera bon de te revoir. Ça fait longtemps.

Quand ils raccrochèrent, ils souriaient tous les deux.

Sam avait réservé sa table habituelle, à l'écart et dissimulée aux regards par le foisonnement de plantes vertes qui faisaient de la cour un endroit si plaisant. Il regarda Elena arriver vers lui et vit les

têtes se tourner sur son passage. Était-elle connue ?
Avec qui avait-elle rendez-vous ? Au château, on ne
savait jamais. Repérer les célébrités faisait partie du
jeu.

Sam l'embrassa sur les deux joues et recula d'un
pas, en inspirant à fond.

— Hmmm... Chanel *N° 19*, toujours ?

Elena le regarda en penchant la tête de côté.

— Tu ne t'es toujours pas fait arranger le nez.

Pendant qu'ils déjeunaient (salade César et eau
d'Évian pour Elena, saumon et meursault pour Sam),
Elena lui raconta tout ce qu'elle savait du cambriolage. Au café, elle lui donna des photocopies de
l'article du *L.A. Times* ainsi qu'une liste détaillée des
vins que lui avait fournie Roth. En regardant Sam
parcourir tout cela, force lui fut de reconnaître qu'il
valait probablement mieux qu'il reste avec son nez
cassé. Cela lui évitait d'être trop bel homme.

Sam releva les yeux de la liste.

— Il y a là des vins intéressants. C'est curieux qu'ils
n'aient volé aucun cru de Californie. En tout cas, je
tire mon chapeau à celui qui a organisé l'opération.
Un horaire bien calculé, une affaire bien préparée,
du beau travail : tout à fait mon style.

Elena le regarda par-dessus la monture de ses
lunettes de soleil.

— Sam ?

Il secoua la tête en riant.

— Je n'ai rien à voir là-dedans, je te le promets.
Je n'avais même pas lu l'article. D'ailleurs, tu me
connais. Maintenant, je suis du côté des honnêtes
gens.

— Cela veut dire que tu vas t'en occuper ?

— Pour toi, Elena, je ferais n'importe quoi. Oh, cinq pour cent de la valeur de ce que je récupérerai, plus les frais.

— Deux et demi.

— Trois.

Après avoir raccompagné Elena jusqu'à sa voiture, Sam regagna sa table et réfléchit en buvant un autre espresso. Cela faisait six mois qu'il ne l'avait pas vue ; six mois depuis la soirée qui s'était terminée sur un échange de propos aigres-doux. Il ne se souvenait même plus aujourd'hui des raisons de leur dispute. La réticence qu'il montrait à s'engager ? Son refus à elle d'accepter un compromis ? Quoi qu'il en soit, cela s'était mal terminé. Et ç'avait été encore pire quand il avait découvert qu'elle sortait avec un de ces acteurs jolis garçons, si nombreux à Hollywood, qui font carrière sans être jamais vraiment célèbres.

Tout en roulant vers son bureau, Elena pensait justement à ce même jeune comédien. Ce n'avait pas été une de ses meilleures décisions, elle devait en convenir. Un rebond qui ne l'avait menée nulle part. Elle s'était rendu compte un tout petit peu trop tard que son nouvel ami ne se passionnait en fait que pour lui-même et que, si jamais la conversation dérivait vers tout autre sujet, le regard du jeune homme ou bien se voilait, ou bien allait se rassurer en jetant un coup d'œil au miroir le plus proche. Combien cela avait-il duré ? Trois semaines ? Un mois ? Trop long-temps en tout cas.

Elena haussa les épaules en essayant de penser à autre chose. Le son des premières mesures de « La Vie en rose » vint l'arracher à ses réflexions. C'était la sonnerie que Sam lui avait installée sur son portable au retour d'un voyage à Paris et elle n'avait jamais trouvé le temps de la changer.

— Alors ? Pas de progrès ?

Elena reconnut le grognement à peine masqué qu'utilisait Danny Roth quand il s'adressait aux sous-fifres. Elle se maîtrisa avant de répondre.

— Je crois que si, Mr Roth. Nous venons d'engager un enquêteur spécialisé pour travailler exclusive-ment sur votre affaire.

— Bon. Dites-lui de m'appeler.

5.

Le coup de téléphone de Sam trouva Cecilia Volpé d'une exceptionnelle bonne humeur, conséquence du dernier cadeau que venait de lui offrir son amour de père, une Porsche gris perle. Son ton, d'habitude plutôt brusque, était quasiment un ronronnement et ce fut tout juste si elle ne se répandit pas en excuses pour annoncer à Sam que Mr Roth n'était pas disponible pour l'instant : il était en rendez-vous. (À Hollywood, on prend un rendez-vous comme on prend un somnifère, et souvent avec des effets similaires.) Lorsque Sam expliqua qui il était et pourquoi il appelait, il perçut même une note de sympathie dans la réponse de Cecilia.

— Il est vraiment... *anéanti*. Vous comprenez, 3 millions de dollars de vin, et par-dessus le marché se voir *trahi* par ce petit salopard de Mexicain. Une véritable, véritable catastrophe.

Elle aurait pu continuer dans cette veine si Roth lui-même n'était pas sorti de son bureau avec une de ses plus jeunes clientes, une comédienne qui partageait son temps entre tournages et visites aux insti-

47

tuts de beauté. Cecilia mit Sam en attente le temps que Roth raccompagne sa jeune protégée jusqu'à l'ascenseur.

— J'ai un Mr Levitt en ligne. C'est l'enquêteur de la compagnie d'assurances.

Roth passa dans son cabinet pour prendre la communication.

— Nous venons seulement de débuter nos investigations, Mr Roth, commença Sam. Cela nous aiderait si vous et moi pouvions nous rencontrer, et j'aurais besoin également de voir la cave. À l'heure qui vous conviendra.

— Tout de suite me convient très bien.

Sam prit une profonde inspiration. Cela n'allait pas être une partie de plaisir.

— Tout de suite, c'est parfait, Mr Roth. J'ai votre adresse. Je serai là dans trente minutes.

Sam attendait à la grille quand Roth arriva trois quarts d'heure plus tard pour le gratifier d'une poignée de main machinale et sans un mot d'excuse. Au premier regard, l'antipathie fut mutuelle. Le temps que Roth le conduise à la cave, toute la compassion qu'aurait pu éprouver Sam à propos du cambriolage s'était envolée.

Au cours de la demi-heure suivante, ses tentatives pour recueillir des renseignements furent sans cesse contrariées par les appels du BlackBerry de Roth, ce qui lui laissa tout loisir d'inspecter la cave et le vin que les voleurs n'avaient pas emporté : les chardonnays, les cabernets et les pinots de Californie. Après quoi il examina longuement la lourde porte de style espagnol qui séparait la cave du reste de la maison. Puis, n'ayant plus rien à inspecter, il finit par se planter devant Roth, lequel, en position de prière – tête penchée, mains jointes – célébrait le culte de son BlackBerry.

— Je suis désolé de vous interrompre, dit Sam, mais j'ai pratiquement terminé.

S'arrachant à regret à la contemplation du minuscule écran pour lever vers Sam un regard irrité, Roth mit un terme à ses dévotions.

— Alors ? Qu'en pensez-vous ?

— Tout d'abord, vos dispositifs de sécurité ne valent pas un clou. Je pourrais forcer la serrure de cette porte avec une lime à ongles. Pourquoi n'avez-vous pas une alarme séparée pour la cave ? Grave erreur. Enfin, c'est un peu tard maintenant. La police vous a probablement dit que les types qui ont fait le coup étaient des pros.

Sam s'interrompit : le magnat consultait de nouveau son cerveau électronique. C'est donc au sommet luisant du crâne de Roth qu'il adressa sa remarque suivante :

— Dans une enquête criminelle, il ne faut jamais écarter la conclusion la plus évidente avant d'avoir prouvé qu'elle était erronée. (Roth ne le regardait toujours pas mais Sam poursuivit.) Nous savons que le coup a été monté par quelqu'un de la maison. Nous savons que Rafael Torres a disparu et nous savons que vous étiez à Aspen quand le vol a été commis. Voilà les faits, Mr Roth, et un esprit soupçonneux pourrait en tirer des conclusions évidentes.

Roth remit enfin son BlackBerry dans sa poche.

— Qui sont ?

— Que vous auriez pu utiliser Aspen comme alibi et monter toute l'opération : voler votre propre vin, soudoyer votre gardien, faire jouer l'assurance et passer vos vieux jours à siroter les preuves. (Sam sourit en haussant les épaules.) Ridicule, je sais. Mais c'est mon métier d'envisager toutes les possibilités. (Il fouilla dans sa poche.) Voici ma carte. Je vous tiendrai au courant de l'enquête. (Il s'arrêta sur le seuil.) Oh, au fait. Si j'étais vous, je boirais sans tarder ces bouteilles de cabernet sauvignon. Le 84 commence à faire son âge.

En sortant, Sam plaignait presque Roth. Mais pas complètement.

Peu après son arrivée à Los Angeles, on avait fait appel à Sam pour enquêter sur le prétendu réseau postimpressionniste, un groupe de marchands d'art bien introduits dans la haute société qui faisaient commerce de remarquables faux signés Monet, Cézanne et Renoir. Ce fut à cette occasion, une de ses premières situations totalement légitimes, que Sam se trouva travailler avec la police de Los Angeles, en la personne imposante du lieutenant Bob Bookman. Voilà un homme qui aimait la bonne chère, et cela se voyait. Mais, comme il était grand, il supportait bien son poids, aidé en cela par le code vestimentaire qu'il s'était imposé et qui ne variait jamais : costume noir de coupe généreuse, cravate en tricot de soie noire et chemise blanche. Il appelait ça le chic croque-mort.

Ses rapports avec Sam démarrèrent sous les meilleurs auspices lorsqu'ils se découvrirent un intérêt partagé pour le vin et, une fois l'affaire des galeries d'art réglée, ils prirent l'habitude de dîner régulièrement ensemble, chacun choisissant à tour de rôle le restaurant et le vin. Il ne s'agissait absolument pas de rendez-vous de travail, mais ils échangeaient inévitablement quelques potins sur la pègre, joignant l'utile à l'agréable.

Bookman répondit à l'appel de Sam par son habituel grognement ennuyé.

— Booky, dit Sam, j'ai besoin de tes lumières. Je débouche ce soir une bouteille de bâtard-montrachet, et j'ai horreur de boire seul. Qu'en dis-tu ?

— Ça pourrait m'intéresser. Quelle année ?

— 2003. Six heures au château ?

— Ne le sers pas trop frais.

Quelques minutes après six heures, Bookman se présenta à la porte de la suite de Sam. Il sortait d'une rude journée de réunions difficiles au QG de la police et il éprouvait le besoin de décompresser un peu. Il frappa, adoptant son ton de policier le plus officiel :

— Je sais que tu es là. Sors, les mains en l'air et le froc baissé !

Une jeune femme qui traversait le couloir jeta un regard inquiet à cette large silhouette vêtue de noir et se précipita vers l'ascenseur.

Sam ouvrit la porte et s'effaça pour laisser le passage à la masse volumineuse de Bookman. Ils allèrent jusqu'à la petite cuisine, dont un mur entier était occupé par des armoires climatisées où Sam gardait les vins à boire sans attendre. La bouteille de bâtard-montrachet débouchée trônait dans un seau à glace sur le comptoir, auprès de deux verres. Bookman prit le bouchon et le huma tandis que Sam servait le vin.

Sans un mot, ils levèrent leurs verres à la lumière du soir qui filtrait par la fenêtre. Puis, faisant doucement tourner le vin, ils penchèrent le nez vers les grisants effluves avant de déguster leur première gorgée.

Bookman émit un soupir de plaisir.

— Ne renvoyons pas celui-ci. (Il but une autre gorgée, plus généreuse.) N'est-ce pas le vin dont Alexandre Dumas disait qu'on devrait le boire à genoux et tête nue ?

Sam sourit.

— J'ai entendu dire que les Bourguignons s'inclinent chaque fois qu'ils passent devant le vignoble.

Il emporta le seau à glace dans le living-room et les deux hommes s'installèrent dans de gros fauteuils, le vin posé sur une table basse entre eux.

— Maintenant, dit Bookman, laisse-moi deviner pourquoi je suis ici.

Il but encore une gorgée et contempla son verre d'un air songeur.

— J'ai accepté d'enquêter sur l'affaire Roth.

— C'est ce qu'on m'a dit. Tu avances ?

— Ma seule découverte pour le moment est que Mr Roth est un vrai casse-pieds. En outre, il est malhonnête… ou il essaie de l'être. Le vin est assuré pour 2,3 millions de dollars, et il prétend qu'il en vaut 3. À part ça, je sais que c'était un travail de pro. Demain, je vais contacter les salles des ventes mais je parie qu'on n'a pas volé le vin pour le revendre. Je parie que c'est pour un collectionneur privé.

Bookman acquiesça.

— Ça me paraît logique. On ne voit pas tous les jours des bouteilles pareilles. Elles seraient trop faciles à repérer. (Il leva son verre pour que Sam le resserve.) Tu ne crois pas que Roth a fait le coup pour toucher l'argent de l'assurance ?

— Non. Tu as lu ce reportage dans le *L.A. Times* ? Roth est le genre de type qui a besoin d'étaler ce qu'il a. Voir sa cave pillée le fait paraître comme un perdant. (Sam fit tourner la bouteille dans l'eau glacée avant de se resservir un verre.) Voilà donc où j'en suis pour l'instant. Et toi ? Qu'est-ce que tes gars t'ont rapporté ? Pas de gardien mexicain, par hasard ?

Le rire de Bookman ressemblait à un grognement de dérision.

— Laisse tomber. Qu'est-ce que nous avons dans ce pays : douze millions d'illégaux ? dont probablement la moitié en Californie, et aucun d'eux sur aucun ordinateur. Crois-moi, ce type est soit bien peinard de l'autre côté de la frontière, soit en train de pourrir dans une décharge. (Bookman se tut le temps de s'assurer que son deuxième verre était aussi délicieux que le premier.) Tu veux que je t'annonce une bonne nouvelle ? Nous avons retrouvé l'ambulance.

— Et la mauvaise?

— Pas de plaques, pas d'empreintes. Nettoyée à fond. Ces gars savaient ce qu'ils faisaient. Pour le moment, c'est une impasse et, en attendant, nous avons du pain sur la planche. (Il compta sur ses doigts.) Le gouverneur reçoit Tony Blair pour le thé. Opération alerte rouge. Nous avons sur les bras un suicide de célébrité qui commence à ressembler plutôt à un meurtre de célébrité. Un abruti avec un fusil prend pour cibles des voitures sur l'autoroute de Santa Monica. Ce mois-ci le nombre des homicides a augmenté, et nous avons le maire sur le dos. Le train-train, quoi. Alors, quelques bouteilles de vin qui disparaissent, ça n'arrive pas en tête de liste. (Bookman haussa ses larges épaules d'un air d'excuse.) On va faire de notre mieux pour te donner un coup de main, mais tu es vraiment un peu seul sur ce coup-là.

Ils finirent tranquillement la bouteille en parlant de sujets plus plaisants, la cuisine, le vin, la position des Lakers dans le championnat de base-ball... et l'heure suivante fila sans qu'ils s'en aperçoivent. Mais une fois Bookman parti, Sam dut bien reconnaître que son enquête ne démarrait pas sur les chapeaux de roues. Et que, comme le lui avait dit son ami, il allait être bien seul sur ce coup.

6.

Malgré ce qu'on lit dans les romans policiers, on résout bien peu de crimes par conjectures ou par intuition. Si peu spectaculaire que cela puisse être, rassembler les informations patiemment, méthodiquement a permis d'arrêter et de condamner bien plus d'escrocs que l'éclair aveuglant de la révélation. Cette pensée en tête, Sam se mit au travail.

Il commença par vérifier les noms les plus connus : Sotheby's et Christie's ; The Henry Wine Group ; Sokolin ; Acker Merrall & Condit, etc. Pas un n'avait récemment acheté ni ne s'était vu proposer rien qui figurât sur la liste des vins volés.

Il essaya les firmes de commissaires-priseurs moins importantes. Il tenta sa chance auprès de Robert Chadderdon et d'autres importateurs spécialisés. Il consulta Wine Searcher, dans l'espoir de tomber (parmi les vingt millions de demandes enregistrées chaque année) sur un amateur en quête des vins ou des millésimes figurant dans la collection de Roth. Malgré tous ses efforts, il ne trouva rien.

Les jours passèrent, puis les semaines. Il était de plus en plus fréquemment interrompu dans ses recherches par les appels furieux de Danny Roth exigeant de savoir où en était l'enquête. L'annonce du cambriolage s'était répandue dans la communauté des amateurs de vin de Los Angeles, Roth était blessé dans son amour-propre. Au lieu des marques de déférence et d'admiration, il recevait des manifestations de sympathie – dont certaines étaient vraiment sincères. Plus irritants encore étaient les appels de spécialistes de la sécurité des caves qui proposaient leurs services. Revanche de l'envieux, la *Schadenfreude*, cette joie mauvaise provoquée par le malheur d'autrui, se déchaînait. Il semblait à Roth qu'il ne s'écoulait pratiquement pas un jour sans que l'une ou l'autre de ses relations mentionne le cambriolage avec une satisfaction à peine dissimulée. Les salauds.

Après avoir subi une tirade matinale particulièrement venimeuse de Roth, Sam décida d'aller nager pour se changer les idées. Alors que, de retour de la piscine de l'hôtel, il traversait le jardin, une fort séduisante paire de jambes attira son attention et, comme pour ces choses-là aussi il avait l'œil du connaisseur, il s'arrêta pour les admirer. La propriétaire des jambes se retourna et Sam reconnut Kate Simmons, plus ravissante que jamais et désormais heureusement mariée à un banquier, au désespoir de bien des célibataires de Los Angeles.

Souriante, elle le toisa de la tête aux pieds – tout mouillé, le cheveu en désordre, drapé dans un vieux peignoir de bain du Ritz qui datait de son séjour à Paris.

— Eh bien, Sam. Toujours aussi impeccable, à ce que je vois. Comment ça va ?

En la regardant, il se sentit comme un oncle retrouvant sa nièce préférée. Il avait souvent ces temps-ci des moments de tendresse avunculaire. L'âge, sans doute.

— Kate, qu'est-ce que vous faites ici ? Vous avez le temps de prendre un café ? une coupe de champagne ? Je suis ravi de vous voir.

Souriant toujours, elle repoussa du revers de la main une mèche de cheveux châtain foncé sur son front, un geste, Sam s'en souvenait, qu'elle avait toujours quand elle cherchait quoi dire. Sans lui laisser le temps de parler, Sam lui prit le bras et l'entraîna vers une table à l'ombre.

— Justement, dit-il en lui approchant un fauteuil, je pensais à vous, je me demandais comment vous alliez.

— Sam, vous n'avez vraiment pas changé. Toujours prêt.

Mais elle se mit à rire et s'assit quand même. Tout en buvant son café, elle lui parla de son travail : attachée de presse pour le cinéma, ce qui l'avait amenée au château pour un rendez-vous avec une vedette incroyablement bien conservée qui préparait la promotion de son dernier film. Cela voulait dire se rendre en jet privé à des premières à New York, Londres et Paris accompagnée de son coiffeur, de son nutritionniste, de son garde du corps, de huit valises de vêtements et de son mari actuel. Comme disait Kate : voyager léger dans le style Hollywood (« sans même un psychiatre »). Lorsque ce fut au tour de Sam de raconter où lui-même en était, il raconta à Kate le vol chez Roth et fut étonné de découvrir qu'elle en connaissait déjà fort bien certains détails. Son mari, Richard, lui-même modeste collectionneur de vin, avait suivi l'affaire.

— La plupart des dingues de vin d'Amérique ont dû lire l'article du *L.A. Times*, expliqua Kate. L'un d'eux aurait pu monter le coup. Ou peut-être que c'est Roth lui-même. Pourquoi pas ? On a vu des choses plus étranges à L.A.

Cela semblait la théorie la plus répandue.

— Ma foi, dit Sam, c'est une possibilité, même s'il est assez convaincant dans le rôle de victime. Mais ce pourrait n'être que cela : juste un rôle. En tout cas, je pense que je ne peux pas le rayer de la liste des suspects. (Il haussa les épaules.) D'ailleurs, il y figure bel et bien.

— Avez-vous cherché ailleurs ?

— Où, par exemple ?

— Je ne sais pas. En Europe ? À Hong Kong ? En Russie ? L'Amérique n'est pas le seul pays où l'on trouve des escrocs qui apprécient une bonne bouteille de vin. (Kate termina son café et regarda sa montre.) Il faut que j'y aille. (Elle se pencha et embrassa Sam sur la joue.) Venez donc dîner avec nous un de ces soirs. Vous n'avez jamais rencontré Richard. Il vous plairait.

— Ce serait trop pénible. Je passerais la soirée à me demander pourquoi vous ne m'avez pas épousé.

Kate ne put s'empêcher de sourire. Secouant la tête, elle le regarda longuement avant de remettre ses lunettes de soleil.

— Pauvre cloche. Vous ne me l'avez jamais demandé.

Elle partit sur ces mots, se retournant sur le seuil du jardin pour lui adresser un geste d'adieu.

De retour dans sa suite, Sam songea à la chance qu'il avait d'être resté en bons termes avec presque toutes les femmes de sa vie. À part deux ou trois notables exceptions – l'Ukrainienne de Moscou avec son mètre quatre-vingts, la fille de l'éleveur de chevaux de Buenos Aires aux tendances homicides et, bien sûr, Elena – il n'y avait pas eu de récriminations, avec aucune de ses ex. Sans doute, conclut-il, parce qu'elles avaient eu le bon sens de ne jamais le prendre trop au sérieux.

Assis à son bureau, où il consultait une fois de plus la liste des vins volés, il repensa à la remarque de Kate. Bien sûr, elle avait raison : l'Amérique n'était pas le seul pays à produire des criminels amateurs de vin. Mais par où commencer ?

Il se leva et traversa la pièce jusqu'à sa bibliothèque, une longue rangée de rayonnages du sol au plafond, et s'arrêta devant la section où étaient classés les ouvrages sur le vin. Là, à divers stades d'usure, se trouvaient *Les Vins de Bordeaux*, de Penning-Roswell ; l'*Encyclopédie des vins et des alcools*, de Lichine ; *Monseigneur le vin*, de Forest ; le *Guide Hachette des vins* de l'année ; *Wine Tasting*, de Broadbent ; l'*Atlas mondial du vin*, de Johnson ; *Yquem*, d'Olney ; *Les Aventures sur la route des vins*, de Lynch ; *Stay Me With Flagons*, de Healy ; ainsi qu'une douzaine d'autres titres collectionnés au long des années. Passant les doigts sur le dos des livres, Sam tomba sur un exemplaire fatigué de *The Great Wine Châteaux of Bordeaux*, de Duijker, et l'emporta sur son bureau, non sans faire au passage un détour pour se verser un verre de chablis en apéritif.

C'était toujours un plaisir d'ouvrir ce livre. Contrastant avec la prose chargée et souvent comique des auteurs d'ouvrages sur le vin qui recherchaient l'effet, le texte était d'une écriture simple et fondé sur une documentation soigneuse. Les faits avaient le pas sur les fioritures littéraires. Et il y avait en prime des photographies en couleurs de plus de quatre-vingts châteaux, avec leurs caves, leurs vignes, leurs maîtres de chais et, parfois, leurs propriétaires élégamment vêtus de tweed. Pour un amateur de grands bordeaux, il était difficile de trouver un ouvrage plus évocateur.

Se fondant sur la liste des vins volés, Sam feuilleta les pages : lafite, latour, figeac, pétrus, margaux – des noms fameux, des vins légendaires, des châteaux magnifiques. Il avait toujours voulu explorer les vignobles impeccablement taillés du Bordelais, une région qu'il avait un jour entendu décrire comme un chef-d'œuvre paysager à grande échelle. À son grand regret, il n'avait jamais pris le temps de faire le voyage. Et ce fut ce regret, tout autant que les exigences de l'enquête, qui l'aidèrent à prendre sa décision. Il referma le livre et appela Elena Morales.

Lorsqu'elle répondit, ce fut d'une voix légèrement étouffée, un signe que Sam reconnut aussitôt.

— Ô femme barbare... tu déjeunes encore à ton bureau. Tu vas avoir une terrible indigestion.

— Merci, Sam. Tu sais vraiment comment réconforter une pauvre esclave. En fait, j'ai trop de travail pour sortir. Et toi ? Tu arrives à quelque chose ?

— C'est pour ça que je t'appelle. J'ai fait à peu près toutes les recherches que je peux faire de mon bureau. Je t'envoie un rapport détaillé, mais ne retiens pas ton souffle. Je ne suis arrivé à rien. Alors j'ai décidé d'aller sur le terrain.

— Sur quel terrain ?

— Elena, dans toute enquête il existe un principe fondamental : pour parvenir à une bonne compréhension du crime, remonter au point de départ. Dans notre cas, le point de départ, c'est d'où venait le vin. Le point de départ, c'est le Bordelais. (Silence à l'autre bout du fil.) Je vais y aller en passant par Paris. Il y a là-bas un type que j'ai besoin de voir.

— Superbe idée, Sam, à une réserve près : les frais.

— Elena, il faut spéculer pour gagner.

— Écoute, je sais comment tu voyages. Tu t'attends à ce que nous réglions les billets d'avion en première classe, les hôtels de luxe, les grands restaurants... (Elle conclut dans un soupir.) Où vas-tu descendre à Paris ?

— Au Montalembert. Tu te souviens du Montalembert ?

— Épargne-moi la nostalgie, Sam. *Pas question* que nous réglions tes frais.

— Je vais te faire une proposition raisonnable. Si je retrouve le vin, vous me les remboursez. Si je ne le

retrouve pas, vous ne me devez pas un centime.
Marché conclu ?

Elena ne répondit pas.

— Je vais prendre cela pour un oui enthousiaste,
dit Sam. Oh, encore une chose. Il va me falloir
quelqu'un de débrouillard à Bordeaux, quelqu'un qui
ait des contacts sur place et qui parle anglais. Je pense
que votre bureau de Paris peut me trouver cela. Tu
es sûre que tu ne veux pas venir avec moi ?

« Oh ! si, rien ne me plairait davantage », songea
Elena en regardant l'assiette de salade et de fromage
de chèvre sur son bureau.

— Bon voyage, Sam. Envoie-moi une carte postale.

Cela faisait près de deux ans que Sam n'était pas
allé à Paris ; il fit ses préparatifs avec une fiévreuse
impatience. Réservation d'hôtel faite et billet d'avion
retenu, il prit rendez-vous avec un vieux partenaire,
Axel Schroeder ; réserva une table pour treize heures
à la Cigale Récamier ; et prévint de sa visite Joseph,
le vendeur qui s'occupait de lui chez Charvet.

Un e-mail d'Elena – au ton un peu froid, jugea
Sam – lui transmit quelques informations fournies
par le bureau de Knox à Paris. Ils recommandaient
un agent de Bordeaux spécialisé dans l'assurance des
vins, une certaine Mme Costes. Elle connaissait tout
le monde dans la région et, à en croire le bureau de
Paris, elle était *très sérieuse*. Sam connaissait suffisamment les Français pour comprendre qu'une personne
qu'on décrivait comme sérieuse serait compétente,
fiable et ennuyeuse. Il envoya à Mme Costes les

détails de son vol et elle lui confirma qu'elle le retrouverait à l'aéroport de Bordeaux-Mérignac.

Avant de boucler ses bagages, Sam appela le bureau de Roth.

— Il est en réunion, dit Cecilia Volpé. Peut-il vous rappeler ?

— Dites-lui seulement que je suis deux ou trois pistes et que je pars quelques jours pour la France.

— Superbe, dit Cecilia. J'adore Paris.

— Moi aussi. Dites à Mr Roth que je le recontacterai.

7.

Sam, tout en attendant de passer les contrôles de sécurité de l'aéroport avant de s'envoler vers Paris, observait avec une compassion croissante les ennuis du voyageur devant lui, un Allemand d'après son accent. Petit, rondouillard, l'air jovial, l'homme avait commis l'erreur de sourire à l'agent de sécurité et de risquer une plaisanterie.

— Aujourd'hui, on enlève les chaussures. Et demain ? Le caleçon ?

Le policier le regarda, impassible, puis, soupçonnant de toute évidence le malheureux Allemand de vouloir passer en fraude à bord de l'appareil un sens de l'humour potentiellement dangereux, il lui ordonna de se mettre à l'écart pour qu'on le fouille.

En le voyant sans chaussures ni ceinture, les bras levés dans la position d'un crucifié tandis qu'on lui passait sur le corps la baguette électronique, Sam songea aux joies du voyage moderne. Des aéroports bondés et souvent mal entretenus, un personnel revêche, de fortes chances de retard au décollage et, avant le départ, l'épreuve fastidieuse et humiliante du contrôle de sécurité. Pas étonnant dans de telles conditions que, à peine arrivés à leur place, la plupart des passagers ne pensent qu'à prendre un verre.

La cabine des premières, un cocon de paix après la folie de l'aéroport, apparaissait comme un soulagement béni. Sam accepta une coupe de champagne, ôta ses chaussures et jeta un coup d'œil au menu. Comme d'habitude il y découvrit des tentatives optimistes pour reproduire les plats servis dans les restaurants terrestres : noisettes d'agneau dans une sauce légèrement épicée, lotte poêlée nappée d'une sauce à la sauge, terrine de légumes avec crème au basilic, cannellonis de saumon au vinaigre balsamique... Bref, l'auteur du menu, un maître en supercherie, faisait miroiter un véritable régal. La réalité, Sam le savait d'expérience, serait hélas décevante : des sauces ridées par le choc d'un brusque coup de chaleur, des légumes à la saveur anonyme.

Pourquoi les compagnies aériennes tentent-elles de préparer des repas gastronomiques alors qu'elles ne disposent dans leurs cuisines exiguës que d'un four à micro-ondes ? Il est évident que cela ne peut pas marcher. Aussi Sam décida-t-il de se borner à du pain et du fromage arrosés d'un bon vin rouge. L'étiquette de la bouteille était impressionnante, le pedigree irréprochable, le millésime excellent, mais allez savoir pourquoi, le vin ne tient jamais ses promesses quand on le boit à dix mille mètres d'altitude : il semble perdre de sa densité et les turbulences en affectent l'équilibre et le goût. Pour reprendre les mots d'un éminent critique : « Après le tohu-bohu du décollage et de l'atterrissage, le vin n'a jamais le temps de retrouver son calme. » Sam essaya un verre, passa à l'eau, avala un somnifère en guise de dessert et ne se réveilla qu'au petit matin alors que l'appareil amorçait sa descente au-dessus de la Manche.

Retrouver Paris lui procurait toujours autant de bonheur. Tandis que son taxi empruntait le boulevard Raspail en direction de Saint-Germain, Sam fut une nouvelle fois frappé par les superbes proportions qu'avait imposées Haussmann au milieu du XIXe siècle : la généreuse largeur des artères principales, les immeubles à taille humaine, les petits squares imprévisibles. Et puis un peu plus bas il y avait la Seine et l'élégante envolée de ses ponts, le foisonnement des arbres qui la bordaient, les longues et majestueuses perspectives. Tout concourait à faire de Paris une des villes du monde où l'on aime à se promener. Et, pour une grande métropole, Paris était propre. Pas d'entassements de sacs-poubelle, pas de caniveaux engorgés par les emballages, le plastique ou les paquets de cigarettes écrasés, bref une absence de saleté citadine bien agréable.

Bien que deux années se fussent écoulées depuis sa dernière visite – un long et délicieux week-end avec Elena Morales –, Sam retrouva, intact, le charme du Montalembert. Niché dans un renfoncement proche de la rue du Bac, l'hôtel est petit, chic et chaleureux. Tous les ans, à l'époque des collections, les reines du monde de la mode, plus jeunes dorénavant qu'autrefois, y prennent leurs quartiers. Auteurs, agents et éditeurs hantent le bar pour, entre deux verres de whisky, discuter sérieusement de leurs contrats et de l'état de la littérature française. De jolies filles y papillonnent. Les antiquaires et les galeristes du quartier passent célébrer une vente avec une coupe de champagne. On se trouve ici chez soi.

Cela tient pour beaucoup au personnel, mais aussi à l'aménagement informel du rez-de-chaussée qui, dans un espace relativement réduit, propose un bar, un petit restaurant et une minuscule bibliothèque avec un feu de bois dans sa cheminée, des endroits non pas séparés par des cloisons mais différenciés par les niveaux d'éclairage – relativement fort dans le restaurant, tamisé dans la bibliothèque. Près de l'entrée, les déjeuners d'affaires ; au fond, les rendez-vous romantiques.

Sam remplit sa fiche, attiré par les effluves de café qui venaient du restaurant. Il se doucha et se rasa rapidement, puis descendit prendre un petit déjeuner ; là, il examina comment se présentaient ses projets pour la matinée et l'après-midi. Il s'était octroyé un jour de congé – une journée à jouer au touriste – et il songeait avec satisfaction qu'il gagnerait aisément à pied les destinations qu'il s'était choisies : une visite au musée d'Orsay ; une promenade au Louvre après avoir traversé le pont Royal pour manger un morceau au Café Marly ; puis une balade aux Tuileries avant de se rendre place Vendôme où il avait rendez-vous chez Charvet.

Le temps hésitait entre la fin de l'hiver et le début du printemps, et Sam, tout en descendant le boulevard Saint-Germain, remarqua que les femmes non plus ne savaient pas trop comment s'habiller. Certaines, drapées dans des écharpes, portaient encore un manteau et des gants; d'autres bravaient la brise frisquette qui soufflait de la Seine en veste courte et jupe au-dessus du genou. Mais, quelle que fût leur toilette, toutes semblaient avoir adopté la même façon de marcher. Sam en était venu à y voir la marque de l'authentique Parisienne : le pas vif, la tête haute, le sac accroché à une épaule et – point crucial – les bras croisés de telle façon que la poitrine n'était pas seulement soutenue mais aussi soulignée, en quelque sorte, par un soutien-gorge de chair. Absorbé dans ces plaisantes préoccupations, Sam faillit oublier de tourner dans la rue qui menait au fleuve et au musée d'Orsay.

Trop de choses à voir, comme toujours. Aussi Sam avait-il décidé de se cantonner à l'étage supérieur où se côtoyaient impressionnistes et néo-impressionnistes. Même ainsi, sans rendre hommage à la sculpture et à l'extraordinaire collection d'Art nouveau, plus de deux heures passèrent avant qu'il songeât à regarder sa montre. Saluant mentalement au passage Monet et Manet, Degas et Renoir, il quitta le musée et franchit le fleuve, direction le Louvre et le déjeuner.

Les Français ont un don pour les restaurants en général et un génie particulier pour les grands espaces. La Coupole, par exemple, qui, à son ouverture en 1927, se vantait d'être « la plus grande salle à manger de Paris », parvient, malgré son immensité, à conserver une échelle humaine. Le Café Marly, bien que plus petit, demeure énorme pour un restaurant ; mais il a été dessiné de façon à ménager des coins calmes et des niches intimes, si bien qu'on n'éprouve jamais l'impression de prendre son repas dans une cantine aussi vaste qu'une salle de bal. Et surtout, il y a sa longue terrasse couverte avec vue sur la pyramide de verre ; ce fut là, à une petite table, que Sam s'installa.

Lorsqu'on retourne à Paris après une longue absence, on est inévitablement tenté de tout savourer. Voyez-y de la gourmandise ou le résultat d'une privation, en tout cas la cuisine y est tellement variée, tellement séduisante et tellement artistiquement présentée que cela semblerait une honte de ne pas commander une douzaine des meilleures huîtres de Bretagne, un peu d'agneau de Sisteron parfumé aux herbes et deux ou trois fromages avant de s'attaquer aux desserts. Pourtant, dans un accès de modération, et surtout se souvenant du dîner à venir, Sam se contenta d'une modeste portion de caviar sévruga et d'un peu de vodka glacée tout en regardant le ballet des passants.

En buvant son café, il accomplit son devoir de touriste et rédigea sa ration de cartes postales : une destinée à Elena pour lui dire qu'il cherchait des indices, une à Bookman (*Temps superbe ; dommage que tu ne sois pas une jolie fille*) et une à Alice, la gouvernante de son étage au Château Marmont qui ne s'était jamais aventurée hors de Los Angeles mais qui voyageait par procuration grâce à Sam chaque fois qu'il abandonnait l'hôtel ; il se promit de lui acheter une tour Eiffel miniature pour sa collection de souvenirs.

Un timide soleil perçait la couche de nuages lorsque Sam quitta la cohue du Louvre pour les allées bien ordonnées des Tuileries, s'arrêtant au passage afin d'admirer l'extraordinaire perspective des Champs-Élysées jusqu'à l'Arc de triomphe. Pour l'instant, les plaisirs de la journée avaient parfaitement répondu à ses attentes et, lorsqu'il arriva place Vendôme, il était d'une humeur radieuse – dangereusement radieuse quand on va faire des courses chez Charvet.

Chemisier pour l'aristocratie depuis plus de cent cinquante ans, Charvet répondait au penchant de Sam pour la discrète extravagance de ses chemises sur mesure. Ce qu'il aimait, c'était plus qu'une simple affaire de confort, de style et de coupe. C'était aussi tout le rituel qui constituait une part essentielle de l'opération : le choix délicat des tissus, les longues discussions à propos des manchettes, des cols et de la façon, la certitude qu'il obtiendrait *exactement* ce qu'il voulait. Et, en prime, le cadre imposant dans lequel se déroulaient ces délibérations.

Les locaux de Charvet – on ne pouvait guère parler de boutique – occupent plusieurs étages d'une des adresses les plus distinguées de Paris : le 28, place Vendôme. À peine Sam avait-il franchi la porte qu'une silhouette postée à un point stratégique au milieu des cravates, des foulards et des mouchoirs s'avança pour l'accueillir : c'était Joseph qui, quelques années auparavant, l'avait initié aux délicieux mystères des coutures à une seule aiguille et des boutons en nacre véritable. Ils prirent ensemble le petit ascenseur jusqu'à l'atelier du premier étage et c'est là, parmi des milliers de rouleaux de popeline, de coton de Sea Island, de lin, de flanelle, de batiste et de soie, que Sam passa le reste de l'après-midi. Chacune des douzaines de chemises qu'il commanda serait, comme du vin, marquée de son millésime, une minuscule étiquette piquée sur la couture intérieure qui identifiait l'année où elle avait été coupée.

Durant le trajet de retour à son hôtel, les pensées de Sam s'orientèrent vers l'homme qu'il allait voir. Axel Schroeder avait été, pendant des années, l'un des cambrioleurs les plus brillants du monde. Bijoux, tableaux, bons au porteur, antiquités : il avait volé tous ces articles – ou, comme il préférait le dire, il leur avait « arrangé un changement de propriété ». Pas pour lui-même, s'empressait-il de préciser, car il était un homme aux goûts simples, mais pour des clients thésauriseurs. Schroeder et Sam avaient fait connaissance lorsqu'ils s'étaient trouvés travailler sur les aspects contradictoires d'une même affaire. Il en avait résulté un certain respect mutuel, et une parfaite courtoisie professionnelle leur avait depuis lors évité de s'intéresser aux projets de l'autre. Schroeder possédait des passeports en règle de trois pays différents, et Sam le soupçonnait d'avoir plus d'une fois eu recours à la chirurgie esthétique pour modifier ses empreintes digitales. C'était un homme prudent.

Il attendait Sam au bar du Montalembert, une coupe de champagne posée sur la table devant lui. Mince, un teint de moniteur de ski, vêtu d'un costume gris pâle à rayures d'une coupe légèrement démodée, des cheveux argent qui commençaient à se clairsemer impeccablement coiffés et des ongles encore brillants d'un récent passage chez la manucure, il évoquait davantage un capitaine d'industrie à la retraite qu'un roi des voleurs.

— Heureux de vous revoir, vieille canaille, dit Sam en lui tendant la main.

— Mon cher garçon, répondit Schroeder en souriant, la flatterie ne vous mènera nulle part. Auraient-ils fini par entendre raison à Los Angeles ? Vous auraient-ils expulsé ? (Il fit signe au serveur.) La même chose pour mon ami, je vous prie. Et n'oubliez pas de la mettre sur sa note.

En homme bien renseigné qu'il était, Schroeder n'ignorait pas que Sam avait abandonné sa vie de criminel et qu'il évoluait maintenant du bon côté de la loi. Comme on pouvait s'y attendre, cela avait tendance à entraver quelque peu leur conversation. Durant plusieurs minutes, les deux hommes parurent disputer une invisible partie de poker, échangeant des plaisanteries tandis que Schroeder attendait que Sam découvre sa main.

— Voilà qui ne vous ressemble pas, Axel, observa Sam. Nous bavardons depuis dix minutes et vous ne m'avez même pas demandé ce qui m'amène ici.

Schroeder but une gorgée de champagne avant de répondre.

— Vous me connaissez, Sam. Je n'aime pas poser de questions indiscrètes. La curiosité peut être très malsaine. (Il tira de sa veste une pochette en soie et se tamponna les lèvres.) Mais puisque vous en parlez... qu'est-ce donc qui vous amène à Paris ? Du shopping ? Une fille ? Un repas convenable après ces horribles cheeseburgers ?

Sam fit à Schroeder un compte rendu du cambriolage, guettant sur ses traits le moindre changement d'expression, mais rien. Le vieil homme gardait le silence, hochant de temps en temps la tête, le visage impénétrable. Lorsque Sam tenta d'établir exactement ce que savait éventuellement Schroeder, même ses questions les plus obliques ne lui valurent aucune réponse. Une frustrante demi-heure s'écoula avant que Sam décide que cela suffisait. Ils se levaient pour partir quand il fit une ultime tentative.

— Axel, nous nous connaissons depuis longtemps. Vous pouvez me faire confiance, je garderai le secret. Qui vous a engagé ?

Le visage de Schroeder respirait la perplexité de l'innocence. Il fronça les sourcils et secoua la tête.

— Mon cher ami, je ne sais pas de quoi vous parlez.

— Vous dites toujours ça.

— Oui, je dis toujours ça. (Il eut un grand sourire et donna une tape sur l'épaule de Sam.) Mais, en souvenir du bon vieux temps, je vais tâcher de me renseigner. Si je trouve quelque chose, je vous préviendrai.

Sam regarda par la fenêtre Schroeder s'engouffrer dans une Mercedes qui attendait. Alors que la voiture démarrait, il put le voir téléphoner sur son portable. Le vieux coquin faisait-il semblant de ne rien savoir ? Ou bien d'en savoir plus qu'il n'était disposé à révéler ? Sam se dit qu'il aurait tout le temps d'y penser pendant le dîner.

Pour finir son jour de congé en beauté, il allait dîner à la Cigale Récamier, et il allait dîner seul. C'était un petit plaisir qu'il s'accordait, consacré par une phrase entendue lors du cours d'œnologie à Suze-la-Rousse. Une déclaration du financier Nubar Gulbenkian qui fixait le nombre idéal de convives à deux : « Moi et le sommelier. » (Le sommelier était la variante personnelle de Sam : Gulbenkian avait dit « le maître d'hôtel ».)

Dans le monde grégaire d'aujourd'hui, le dîneur solitaire est un personnage méconnu. Voire l'objet d'une certaine pitié, l'opinion populaire ayant du mal à accepter l'idée que l'on choisisse de s'attabler seul dans un restaurant bondé. Et pourtant, pour ceux qui supportent sans mal leur propre compagnie, une table pour une personne présente bien des avantages. Lorsque l'on n'est pas distrait par un autre, on peut accorder aux mets et au vin l'attention qu'ils méritent. En tendant l'oreille, on est souvent récompensé par de fascinantes indiscrétions en provenance des tables voisines. Et, bien sûr, un observateur assidu peut savourer le spectacle qu'offrent les autres clients, programme recommandé pour quiconque sait considérer avec amusement et curiosité la mosaïque éternellement changeante du comportement humain.

La Cigale Récamier, à cinq minutes à pied de l'hôtel, constituait l'une des étapes préférées de Sam. Caché au fond d'un cul-de-sac partant de la rue de Sèvres, l'endroit avait toutes les qualités qu'il appréciait dans un restaurant. C'était un établissement simple, sans prétention et d'une grande qualité professionnelle. Les garçons étaient là depuis toujours ; ils connaissaient leur métier sur le bout des doigts et la carte des vins par cœur. La clientèle présentait un intéressant mélange : Sam y avait vu parmi les habitués des ministres, des joueurs de tennis de renommée internationale et des vedettes de cinéma. Et que dire des soufflés, aériens et délicats, savoureux et fondants ? Celui dont c'est le point faible peut en faire tout un repas.

On conduisit Sam à une petite table devant le gros pilier situé au centre de la salle. Assis le dos à la colonne, il faisait face à une rangée de tables disposées contre un mur dont la plus grande partie était occupée par une glace. Il pouvait ainsi suivre les allées et venues derrière lui tout en regardant les dîneurs de l'autre côté : l'endroit idéal pour le voyeur de restaurant.

Son serveur lui apporta un verre de chablis et lui désigna les plats du jour crayonnés sur l'ardoise. Sam choisit des côtes d'agneau – des côtelettes toutes simples, mais roses et cuites à la perfection. Il laissa le choix du vin au serveur, sachant qu'il était dans de bonnes mains. Avec un soupir de satisfaction, il se cala dans son fauteuil en songeant à son dernier dîner avant son départ de Los Angeles, l'une de ses sorties régulières avec Bookman.

Ils avaient décidé d'essayer un restaurant follement branché de Santa Monica, un temple consacré aux extrêmes de la cuisine fusion et à toutes les audaces de l'expérimentation culinaire, un laboratoire gastronomique, à en croire un critique éperdu d'admiration. Ils auraient dû se méfier. On leur avait apporté une multitude de plats minuscules : certains arrivaient posés sur une cuillère à café, d'autres contenus dans un compte-gouttes. Les sauces étaient servies dans une seringue et un serveur aux manières affectées vous donnait des instructions précises sur la façon de déguster chaque plat. Plus le repas progressait, à pas de loup, d'un bijou comestible au suivant, plus Bookman devenait morose. Il demanda du pain et s'entendit répondre que le chef n'approuvait pas le pain avec sa cuisine. La patience de Bookman atteignit ses limites quand le serveur leur chanta les mérites du dessert du jour, une crème glacée d'œufs au bacon. C'en était trop : ils se levèrent et partirent chercher quelque chose à manger.

Les tables autour de Sam commençaient à être occupées et son regard fut attiré par le couple assis en face de lui. L'homme, entre deux âges, élégamment habillé, semblait bien connu des garçons. Il avait pour compagne une ravissante jeune fille de dix-huit ans peut-être, dont le visage rappelait celui de Jeanne Moreau jeune. Elle écoutait avec attention ce que disait l'homme. Assis très près l'un de l'autre, ils partageaient le même menu. Sam se rendit compte qu'il était en train de les dévisager.

— Elle est mignonne, hein ? lui glissa le serveur en désignant la jeune fille d'un clin d'œil en même temps qu'il apportait les côtes d'agneau. (Sam acquiesça et le garçon baissa la voix.) Monsieur est un de nos vieux clients et elle, c'est sa fille. Il lui apprend comment dîner avec un homme.

« Il n'y a qu'en France qu'on peut voir cela, se dit Sam. Vraiment qu'en France. »

Plus tard, en regagnant son hôtel par les petites rues, Sam réfléchit à la journée qui s'achevait. De Manet à Monet jusqu'aux côtes d'agneau et au mémorable soufflé au caramel, elle avait été un voyage de redécouvertes assaisonné de fréquents élans de nostalgie. Malgré l'absence de feuilles aux arbres, Paris lui paraissait magnifique. Les Parisiens, qui semblaient sur le point de perdre leur réputation d'arrogance et de froideur, s'étaient montrés affables. La musique du français qu'on parlait autour de lui, le doux parfum du pain fraîchement cuit sortant tout juste de la boulangerie, les reflets gris acier de la Seine : tout se présentait comme dans son souvenir. Et pourtant, par on ne sait quelle magie, tout semblait nouveau. C'est l'effet que vous fait Paris.

Cela avait été une journée bien remplie. Envahi d'une plaisante lassitude, il laissa un bain bien chaud dissiper la fatigue du décalage horaire et dormit comme une souche.

8.

Le lendemain matin, pendant le court trajet jusqu'à Bordeaux, Sam s'occupa à considérer ce qui différenciait un avion plein de Français d'un avion plein d'Américains. Bien calé sur son siège, il constata tout d'abord un niveau sonore moins élevé : les conversations, assourdies, confirmaient que les Français ont horreur qu'on surprenne ce qu'ils disent. Ensuite, le physique des passagers : plus petits, plus bruns, moins de blonds dans l'un ou l'autre sexe. Puis les livres, qui l'emportaient sur les iPod. Quant à la passion des Américains pour l'eau en bouteille qu'ils boivent à longueur de journée, elle ne semblait pas avoir encore touché les voyageurs français (encore que, comme nombre d'entre eux étaient bordelais, peut-être que, pour des raisons médicales, ils se limitaient au vin). Personne ne grignotait. Sur le plan vestimentaire, le style se situait quelque part entre celui d'un jour de bureau et celui d'une journée de chasse à la perdrix : Sam remarquant, portées sur un costume trois-pièces, des vestes de chasse couleur mousse, il s'attendait presque à voir une tête de faisan mort dépasser d'une poche latérale. Les Français avaient les cheveux plus longs et on respirait nettement des effluves de lotion après-rasage, mais aucun n'arborait de boucles d'oreilles ni de casquette de base-ball ; dans l'ensemble les tenues étaient plus habillées.

Il existait toutefois une surprenante ressemblance entre le Français et son cousin d'Amérique. À peine franchie la porte des arrivées, apparurent comme par enchantement deux cents téléphones portables pour annoncer aux épouses, aux maîtresses, aux amoureux, aux secrétaires et aux collègues de bureau que, cette fois encore, le pilote avait déjoué la mort et réussi un atterrissage sans histoire. Sam, plutôt enclin à valider la théorie de l'inutilité de quatre-vingt-dix pour cent des appels depuis un portable, se contenta d'attendre son sac de voyage en silence, un muet parmi les bavards.

Il inspecta la foule massée aux arrivées, cherchant des yeux son contact, jusqu'à ce que son regard s'arrête sur une femme qui attendait, seule ; elle tenait devant elle un morceau de carton sur lequel était inscrit son nom et semblait gênée de paraître racoler un étranger débarquant d'un avion. Il s'avança pour se présenter.

Mme Costes était une agréable surprise : pas du tout la robuste matrone aux pieds plats et avec un soupçon de moustache qu'il s'attendait à trouver. La trentaine, elle était mince, vêtue avec simplicité d'un pantalon et d'un chandail, un foulard de soie négligemment noué autour du cou. Ses lunettes de soleil étaient repoussées sur des cheveux blonds aux reflets fauves. Elle avait un visage comme on en voit dans les magazines de mode : long et étroit avec un air bien élevé. Bref, l'exemple type du bon chic bon genre. Lors de ses précédentes visites en France, Sam avait souvent entendu cette formule – généralement abrégée en BCBG – pour décrire des gens d'une certaine classe et d'un certain style : chic, plutôt conservateurs et attachés à tout ce qui vient de chez Hermès.

Sam sourit en lui tendant la main.

— Merci d'être venue m'accueillir. J'espère que cela n'a pas bouleversé votre après-midi.

— Mais pas du tout. Ça fait du bien de sortir du bureau. Bienvenue à Bordeaux, Mr Levitt.

— Appelez-moi Sam, je vous en prie.

Elle pencha la tête en haussant les sourcils, comme si une telle familiarité la prenait au dépourvu. Mais, c'est vrai, il était américain.

— Moi, c'est Sophie. Venez... la voiture est garée juste dehors.

Elle le guida vers la sortie du terminal tout en fouillant à la recherche de ses clés dans les profondeurs d'un grand sac en cuir qui avait la couleur et la texture d'une selle bien patinée. Sam s'attendait à une voiture bien française : petite, nerveuse et terriblement exiguë pour des jambes d'Américain. Mais ils s'arrêtèrent devant une Range Rover vert foncé maculée de boue.

— Il faut me pardonner l'état de la voiture, fit Sophie avec un petit claquement de langue désapprobateur. Je suis allée à la campagne hier : il y a de la boue partout.

— À L.A., dit Sam avec un sourire, la police de la route vous arrêterait probablement pour conduite d'un véhicule qui ne respecte pas les principes d'hygiène.

— Ah bon ? M'arrêter ?

— Je plaisantais.

Sam s'installa sur son siège tandis que Sophie, qui avait un style de conduite rapide et décidé, traversait les allées de l'aéroport. Ses mains sur le volant étaient aussi BCBG que le reste de sa personne : des ongles polis mais sans vernis, au petit doigt une chevalière si ancienne qu'on y distinguait à peine le blason de la famille, et une Cartier Tank d'époque avec un bracelet en crocodile noir.

— Je vous ai réservé une chambre au Splendide, annonça Sophie, dans le vieux quartier de la ville, près de la Maison du vin. J'espère que cela vous conviendra. Il m'est difficile de me rendre compte car, habitant à Bordeaux, je ne descends jamais à l'hôtel.

— Vous êtes là depuis longtemps ?

— Je suis née à Pauillac, à une cinquantaine de kilomètres de Bordeaux. Je suis une fille du pays. « Il y a des années, j'ai passé quelque temps à Londres où personne, à cette époque, ne parlait français. Il fallait donc connaître l'anglais. Aujourd'hui, Londres est presque une ville française : plus de trois cent mille Français y vivent. On prétend que les affaires y sont plus faciles. (Sophie se pencha sur le volant.) Maintenant, plus de questions. Il faut que je me concentre.

Sophie se faufila dans un dédale de rues à sens unique et s'arrêta devant l'hôtel, un bâtiment du XVIIIe siècle à la façade pompeuse et à l'air de respectabilité suffisant.

— Voilà, dit-elle. Je dois retourner au bureau mais nous pouvons nous retrouver pour dîner si vous voulez bien.

— Je veux bien, acquiesça Sam en souriant.

En l'attendant dans le hall de l'hôtel – ou, comme le stipulait la brochure, dans le petit salon –, Sam se sentait tout à la fois soulagé et encouragé par cette première rencontre avec Sophie Costes. C'était totalement inavouable et machiste de sa part, mais il préférait infiniment travailler avec de jolies femmes. Et il était encouragé dans ce sens par le fait que Sophie était bordelaise de naissance et d'éducation. D'après tout ce qu'il avait lu, la société bordelaise constituait un labyrinthe de liens familiaux et de séparations, de brouilles et d'alliances qui s'étaient développés depuis quelque deux siècles. Un guide qui en faisait partie s'avérerait précieux.

De hauts talons claquant sur le sol annoncèrent l'arrivée de Sophie. Elle s'était changée pour dîner : une petite robe noire, naturellement, deux rangs de perles, une large écharpe en cachemire noir. Un intéressant effluve de parfum. Sam rajusta son nœud de cravate.

— Je suis content d'avoir mis un costume, observa-t-il.

— Que portent normalement les hommes pour un dîner à Los Angeles ? s'informa Sophie en riant.

— Oh, un jean à cinq cents dollars, des bottes de cow-boy en peau de serpent, un T-shirt Armani, une veste en soie, une casquette de base-ball Louis Vuitton – des vêtements un peu rustiques, quoi. Mais pas de perles. Les vrais hommes ne portent pas de perles.

À juger l'expression de Sophie, cette dernière information ne faisait visiblement que confirmer sa première impression :

— Vous n'êtes pas quelqu'un de sérieux.

— J'essaie de ne pas l'être, avoua Sam, sauf quand il s'agit de dîner. Où m'emmenez-vous ? Faut-il que je commande un taxi ?

— Nous pouvons y aller à pied. C'est juste au coin : un petit restaurant, mais la cuisine est bonne et la carte des vins aussi. (Sophie se tourna pour regarder Sam tandis qu'ils descendaient la rue.) Vous buvez du vin, n'est-ce pas ?

— Et comment ! Qu'attendiez-vous que je boive ? Du Coca light ? Du thé glacé ?

D'un geste, Sophie écarta la question.

— Avec les Américains, on ne sait jamais.

Le restaurant plut tout de suite à Sam. L'endroit était confortable, guère plus grand que son salon au Château Marmont, avec un minuscule bar à un bout, des glaces et des portraits en noir et blanc encadrés aux murs, un mobilier sans chichis et d'épaisses nappes blanches. Une brune souriante vint les accueillir, qu'on présenta à Sam comme Delphine, l'épouse du chef. Les deux femmes s'embrassèrent,

Sophie semblait donc être une habituée. Delphine leur désigna une table d'angle, suggéra une coupe de champagne pendant qu'ils étudiaient le menu et repartit dans la cuisine.

— Exactement le genre d'établissement que j'aime, approuva Sam en regardant autour de lui. Excellent choix. (Il désigna de la tête le mur en face d'eux.) Dites-moi, qui sont ces types sur les photos ?

— Des vignerons, des amis d'Olivier, le chef. Vous verrez leurs vins sur la carte. Ne soyez pas déçu mais vous n'y trouverez aucun cru de Californie.

Delphine apporta le champagne et les menus. Sam leva son verre.

— Merci d'accepter de m'aider. Cela rend mon travail bien plus agréable.

Sophie inclina la tête.

— Il faut que vous m'en parliez. Mais, d'abord, faisons notre choix.

Elle sourit en voyant Sam se plonger immédiatement dans la carte des vins.

— Vous agissez comme mon grand-père. Il choisissait toujours le vin d'abord et ensuite les plats.

— Il avait raison, répondit Sam sans lever le nez. Eh bien, ce doit être mon jour de chance. Regardez ce que j'ai trouvé : un lynch-bages 85. Comment ne pas le choisir ? Un vin de votre ville natale ! ajouta-t-il en souriant à Sophie. Maintenant, qu'aurait commandé votre grand-père pour l'accompagner ?

Sophie referma le menu.

— Sans hésitation, un magret de canard mi-cuit rosé. Et peut-être quelques huîtres pour commencer, avec une autre coupe de champagne ?

Sam la regarda tout en refermant la carte des vins, se souvenant de dîners à L.A. avec des filles qui tenaient pour un défi gastronomique tout ce qui était plus substantiel que deux crevettes et une feuille de laitue. Quel plaisir de partager son repas avec une femme qui aimait la cuisine.

Delphine prit leur commande et revint presque aussitôt avec le vin et une carafe. Elle présenta la bouteille à Sam qui l'approuva de la tête ; elle ôta le haut de la capsule, retira le bouchon – très long, sombre et humide –, le huma, essuya le col de la bouteille et mit le vin à décanter dans la carafe.

— Que pense-t-on à Bordeaux des bouchons qui se vissent ?

Malgré le côté pratique, Sam abhorrait l'idée de faire subir au vin pareille indignité.

Sophie ne put retenir un petit frisson.

— Je sais. Certains, ici, les utilisent. Mais la plupart d'entre nous sont très traditionnels. À mon avis, il faudra attendre longtemps avant qu'on mette notre vin dans des bouteilles de limonade.

— Heureux de l'entendre. Je crois que j'ai le snobisme du bouchon. (Sam fouilla dans sa poche et en tira un carnet sur lequel il avait pris quelques notes.) Voulez-vous que nous travaillions un peu avant les huîtres ? Je ne sais pas au juste ce que vous ont dit vos collègues de Paris.

Sophie l'écouta attentivement lui raconter rapidement le cambriolage et ses vaines investigations, ce qui l'avait amené à venir à Bordeaux. Il s'apprêtait à suggérer un plan d'action quand les huîtres arrivèrent : deux douzaines, dégageant un parfum d'air marin, accompagnées de fines tranches de pain bis et de la seconde tournée de champagne.

Sophie détacha la première huître et la garda un moment en bouche avant de la gober, puis elle prit la coquille et, la tête renversée en arrière révélant la frêle colonne de son cou, en but le jus. Une performance qui absorba toute l'attention de Sam.

— Vous ne commencez pas ? demanda Sophie qui s'était rendu compte qu'il l'observait.

— J'admirais votre technique. Je n'y arrive jamais sans me faire couler du jus sur le menton.

— C'est très simple, expliqua Sophie en saisissant sa deuxième huître. D'abord, vous devez plisser la bouche comme ceci. (Elle pinça les lèvres et les fronça en avant pour former un O.) Levez la coquille jusqu'à ce qu'elle touche votre lèvre inférieure. Renversez la tête en arrière, aspirez un peu, et voilà. Pas de jus sur le menton. Allez, à vous.

Sam essaya, réessaya et, à la quatrième tentative, Sophie jugea qu'il pouvait se lancer. Cet interlude éducatif l'avait encouragée à se détendre et elle se montra plus curieuse, demandant à Sam où il avait appris à savoir dénicher la perle sur une carte des vins. À partir de là, la conversation s'anima et, lorsque arriva le magret, ils étaient parfaitement à l'aise l'un avec l'autre.

Sam s'attaqua alors au rituel du goûter du vin, conscient qu'un œil expert le surveillait. Il leva d'abord son verre à la lumière pour en examiner la couleur, puis fit doucement tourner le liquide. Ensuite il le huma ; non pas une fois, ni deux, mais à trois reprises. Il prit une petite gorgée et s'accorda quelques secondes de réflexion avant d'avaler. Il regarda alors Sophie en donnant une légère tape sur le bord de son verre.

— De la poésie en bouteille, déclara-t-il d'une voix théâtrale. Robuste mais élégant. Un rien de copeaux de crayon... et, qu'est-ce donc ? Ne détecterais-je pas un soupçon de tabac ? Magnifiquement charpenté, long en bouche. (Il reprit un ton normal.) Comment trouvez-vous que je m'en tire jusque-là ?

— Pas mal, estima Sophie. Bien mieux qu'avec les huîtres.

Ils poursuivirent leur repas sans se presser, et Sophie raconta à Sam une de ses histoires de vin préférées ; elle se déroulait dans un restaurant américain. Les clients avaient commandé une bouteille de pétrus 82 à 6 000 dollars qu'ils savourèrent avec le respect qui lui était dû. On commanda une seconde bouteille, pour la même somme. Mais celle-ci avait un goût différent, sensiblement différent, et on la renvoya. Le propriétaire du restaurant, se répandant en excuses, leur servit une troisième bouteille du même cru. Heureusement, on la jugea aussi bonne que la première.

Les clients partis, le propriétaire du restaurant, intrigué, prit les trois bouteilles pour les faire examiner par un expert qui identifia le problème de la deuxième bouteille : contrairement aux deux autres, il s'agissait d'un vrai pétrus 82...

— Je sais pourquoi vous aimez cette histoire, avança Sam. Parce qu'elle montre la balourdise des Américains en matière de vin. (Il agita vers Sophie un doigt menaçant.) J'ai deux mots pour vous : Robert Parker.

Elle secoua la tête avant qu'il eût terminé.

— Non, pas du tout. Cela pourrait arriver en France. Vous devez connaître l'histoire de cette dégustation à l'aveugle où les goûteurs ont pris par erreur un blanc à température de la pièce pour un rouge. Non, c'est une bonne histoire car elle a une morale. (Elle serra son verre entre ses mains.) Il n'existe pas de palais sans défaut.

Sam n'était pas convaincu mais il ne releva pas. Il vit qu'il restait au moins deux verres dans la bouteille et il éprouva le besoin de leur faire un sort.

— Eh bien, professeur, que diriez-vous d'un peu de fromage ?

Sophie se pencha en avant en souriant.

— Je n'ai qu'un mot pour vous, répondit-elle en pointant un doigt vers lui. Camembert.

Et ce fut donc du camembert, délicat et légèrement salé, dont ils convinrent que c'était la seule façon de terminer ce repas.

Lorsqu'ils se séparèrent, Sam se surprit en train de la regarder s'éloigner. « Une jolie femme », songea-t-il. Cette nuit-là, il rêva qu'il apprenait à Elena à déguster des huîtres *à la française.*

Sophie était contente de sa première rencontre avec Sam. Il était de bonne compagnie, semblait s'y connaître en vin et son air un peu cabossé ne manquait pas de charme. Et puis, il y avait ces merveilleuses dents des Américains. Après tout, cette mission dont on l'avait chargée ne serait peut-être pas si ennuyeuse.

9.

Pour Sam, les deux jours suivants furent agréables et instructifs, mais de plus en plus frustrants. Grâce à Sophie, ils avaient accès à tous les châteaux, y compris ceux où, normalement, on n'accueillait pas les visiteurs. C'était également grâce à Sophie que gérants de propriétés et maîtres de chais se donnaient beaucoup de mal pour les aider. Château après château – du somptueux Lafite-Rothschild au minuscule Pétrus –, les deux enquêteurs avaient été reçus avec la plus grande courtoisie. On avait écouté patiemment leurs questions et on y avait répondu. On leur avait même parfois offert un verre du précieux nectar. Mais Sam devait le reconnaître : ces visites, si elles avaient ajouté à son éducation œnologique, n'avaient en rien fait progresser ses recherches. Le constat était décourageant : en deux jours, six châteaux, six impasses.

Au soir du deuxième jour, fatigués et démoralisés, Sam et Sophie allèrent se consoler au bar de l'hôtel où ils commandèrent du champagne, ce remontant infaillible, qu'on leur servit sans tarder.

— Ma foi, résuma Sam en levant sa coupe, je crois que nous avons fait le tour. Je suis désolé de vous avoir fait perdre votre temps. Merci de votre assistance. Vous avez été formidable.

— En tout cas, fit Sophie en haussant les épaules, vous pourrez leur dire en rentrant à Los Angeles que vous avez visité quelques grands châteaux. (Elle sourit.) Notre version miniature de Napa Valley. (Son portable sonna. Elle regarda l'écran, soupira et reposa sa coupe.) Mon avocat. Excusez-moi.

Elle se leva et s'éloigna pour prendre l'appel.

Sam avait déjà remarqué cette habitude en France sans parvenir à trancher : bonne éducation ou crainte qu'on ne surprenne l'entretien ? En tout cas, quand c'était possible, les Français s'efforçaient de ne pas infliger à autrui leurs conversations téléphoniques, préférant trouver un coin discret dans les parages. Une coutume civilisée que ses compatriotes feraient bien d'adopter.

En attendant que Sophie revienne, il relut les notes qu'il avait prises lors de ses visites. Chaque fois, ils avaient demandé qui étaient leurs clients réguliers, les gros acheteurs qui avaient des caves sérieuses à approvisionner. Dans la plupart des cas les réponses ne les avaient pas surpris : Ducasse, Bocuse, Taillevent, l'Élysée Palace, la Tour d'Argent, une ou deux banques privées, une demi-douzaine de milliardaires (dont, bien entendu, on taisait les noms). Autrement dit, les suspects habituels.

Sam, toujours assis, contemplait ses notes. Et, ce faisant, une autre question germa, une question qu'ils n'avaient pas pensé à poser. Il s'en mordait encore les poings quand Sophie vint le rejoindre.

Il se pencha en avant, avec l'air satisfait du chien qui vient de déterrer un os oublié.

Sophie le regardait avec étonnement.

— Vous savez ce que fait l'inspecteur quand il se souvient d'un détail qu'il a laissé passer ? lança-t-il avec un grand sourire. (Aucune réaction de Sophie.) C'est l'instant de la révélation. Il se frappe le front (Sam mima le geste) et ajoute : « Zut ! Mais c'est bien sûr ! »

— Zut ? répéta Sophie. Pourquoi ce zut et pourquoi vous frappez-vous le front ? Vous allez bien ?

— Pardon. Oui, je vais bien. Mais je viens de me rendre compte que nous n'avons pas posé les bonnes questions. Nous devrions demander si quelqu'un a *cherché* à acheter ces millésimes en particulier et a été déçu d'apprendre qu'ils avaient tous été vendus. Peut-être existe-t-il un amateur obsessionnel quelque part, quelqu'un comme ce type qui voulait aligner dans sa cave cent cinquante années de latour, quelqu'un déterminé à combler à n'importe quel prix les vides de sa collection. Ça, c'est un mobile, non ? conclut-il, levant vers elle un visage plein d'espoir.

Sophie plissa les lèvres et hocha lentement la tête.

— C'est possible, admit-elle, et, de toute façon, nous n'avons rien d'autre à tenter. (Sans compter qu'elle trouvait ça autrement plus amusant que de rester derrière son bureau à discuter la déclaration de sinistre d'un vigneron victime du gel.) Bon, que voulez-vous faire ? Refaire le tour des châteaux ? Je pense que c'est mieux que de téléphoner.

— On refait le tour des châteaux. Demain matin de bonne heure.

Sophie regarda sa montre, fronça les sourcils et reprit son sac.

— Je vais être en retard pour mon rendez-vous et mon avocat se fait payer à la minute. Alors, à demain... Je passe vous prendre à dix heures ?

— C'est ce que vous appelez de bonne heure ?

— Sam, c'est la France.

Sam se réveilla tôt. La veille au soir, il avait réfléchi, ennuyé d'entraîner Sophie dans de nouvelles impasses. Mais le sommeil lui avait fait retrouver son optimisme et le soleil brillait. Bon présage. Il décida d'aller prendre son petit déjeuner dehors, trouva un café en face du Grand Théâtre et s'y installa devant un café crème et le *Herald Tribune*.

Un coup d'œil aux gros titres ne contribua guère à éclairer sa matinée. Toujours les mêmes refrains : nouveaux incendies de forêt en Californie, futiles échanges d'insultes entre les politiciens de Washington, nuages de pollution toujours plus épais au-dessus de la Chine, agitation au Moyen-Orient, la Russie tapait du poing sur la table, inquiétude et découragement en Europe et un certain marasme à Wall Street. Au milieu de cette litanie de tristes nouvelles, des publicités pour des montres et des sacs à main, tous plus prétentieux les uns que les autres. Ce qui rappelait que, si mauvaises que fussent les nouvelles, elles n'étoufferaient jamais le désir primordial de l'espèce humaine pour le shopping.

Sam reposa le journal et regarda autour de lui. Les autres consommateurs paraissaient curieusement de bonne humeur. Croquant leur tartine et buvant leur café, leur expression matinale pas encore marquée par les épreuves de la journée qui s'annonçait, ils ne semblaient pas se rendre compte que, à en juger par les informations de ce matin, la fin du monde pourrait bien avoir lieu avant l'heure du déjeuner.

Il commanda un autre crème et nota sur son carnet les vins et les millésimes qu'il recherchait : lafite 53, latour 61, pétrus 70, yquem 75, figeac 82, margaux 83. Quelle liste ! Sam ne pouvait s'empêcher d'estimer que ces trésors entre les mains de Danny Roth n'étaient ni plus ni moins que du gâchis. Seulement du prestige en bouteilles, et un prestige frustrant puisqu'il ne pouvait pas les afficher au mur pour que tout le monde les voie. À quoi consacrerait-il l'argent de l'assurance, se demanda Sam, si on ne retrouvait pas le vin ?

La sonnerie de son portable interrompit ses réflexions : c'était Sophie, pour lui annoncer qu'il n'était pas encore dix heures et qu'elle était déjà à l'hôtel. De bonne heure, comme convenu. Mais où était-il passé ? Dormait-on aussi tard en Californie ?

Il s'empressa de regagner l'hôtel et la retrouva dans le hall. Elle était manifestement d'excellente humeur : souriante, le bras tendu, elle tapotait sa montre, ravie d'être arrivée avant lui. Elle était habillée comme si elle descendait de son cheval : jodhpur moulant rentré dans de souples bottes en cuir, foulard de soie au subtil motif de fer à cheval (à n'en pas douter, un Hermès) noué autour du cou. Le summum du chic équestre. Sam promena sur elle un regard approbateur et se demanda s'il ne devrait pas hennir. Elle offrait un spectacle plutôt rare à L.A.

— Magnifique tenue, apprécia-t-il. Dommage que vous ayez oublié les éperons. Pardon de vous avoir fait attendre. Vous sentez-vous chanceuse aujourd'hui ?

— Bien sûr, répondit-elle. Très optimiste. Aujourd'hui, nous allons trouver quelque chose. Vous verrez. (Tout en se dirigeant vers la voiture, elle lui prit le bras.) Voulez-vous que nous commencions par Lafite ?

Pendant le trajet de Bordeaux jusqu'au Médoc, Sophie lui expliqua la raison de sa bonne humeur. La veille au soir, après avoir quitté Sam, elle avait retrouvé son avocat qui lui avait annoncé que la querelle qui, depuis trois ans, l'opposait à son ex-mari était finalement réglée et qu'elle serait bientôt libre de se remarier. Son ex conserverait le bateau qu'il louait à des touristes à Saint-Barth ; Sophie garderait l'appartement de Bordeaux. Peut-être même pourraient-ils rester amis. Ou peut-être pas. Il avait posé des problèmes dès le début de leur mariage, toujours parti sur son bateau pour se retrouver finalement en compagnie de quelque fille peu recommandable.

— Hmm, fit Sam. Il m'a l'air d'un homme selon mon cœur.

Sophie se mit à rire.

— Vous aimez les bateaux ?

— Je préfère les filles. Avec elles, je n'ai pas le mal de mer.

La route choisie par Sophie traversait une campagne de plaines impeccablement soignées, où des vignes plantées au cordeau s'allongeaient jusqu'à l'horizon. Des châteaux sur leur droite, des châteaux sur leur gauche : Léoville-Barton, Latour, Pichon-Lalande, Lynch-Bages, Pontet-Canet. Sam avait l'impression de rouler sur une carte de vins d'exception.

— Vous n'êtes jamais allée dans la région viticole de Californie ? s'enquit-il.

— Napa et Sonoma ? Non, jamais. Peut-être un jour. Cela ressemble à ça ?

Sam songea aux collines sèches et brunes, aux établissements vinicoles vastes et modernes avec leurs boutiques de souvenirs et les cars de touristes.

— Pas exactement. Mais certains vins sont assez bons.

— Vous savez pourquoi ? Parce que, dit Sophie sans lui laisser le temps de répondre, vous avez beaucoup de Français qui font du vin là-bas. (Elle eut un grand sourire.) Je suis très chauvine, vous savez. Pour moi, les vins français sont les meilleurs.

— Essayez donc de dire cela à un Italien.

— Les Italiens font des vêtements et des chaussures. Et un seul bon fromage. Leur vin...

Elle fit la grimace et eut un petit geste dédaigneux de la main. Manifestement, il n'était pas question de discuter. Une victoire supplémentaire, songea Sam, à l'actif du complexe de supériorité français.

Laissant derrière eux le centre de Pauillac, ils apercevaient maintenant le château Lafite qui se dressait sur une petite colline à bonne distance de la route. Sophie arrêta la Range Rover et se tourna vers Sam.

— L'unique question à poser est bien celle-ci : Quelqu'un au cours de l'année dernière a-t-il été déçu de ne pas pouvoir acheter le lafite 53 ? C'est bien ça ?

— Exactement, dit Sam. Croisons les doigts.

La journée avançait, et les deux premiers châteaux avaient été rayés de leur liste. Sam avait le sentiment qu'ils allaient connaître de nouveau les déceptions des deux derniers jours. On faisait appel à sa mémoire, on fronçait les sourcils d'un air pensif, on haussait les épaules, et puis – *désolé, mais non* – on ne gardait aucun souvenir d'un acheteur plein d'espoir mais désappointé.

Leur chance tourna au troisième arrêt. Le gérant du domaine, natif de Pauillac et ami de la famille de Sophie, croyait se rappeler un visiteur de l'automne dernier qui était très précis sur le millésime qu'il recherchait ; un monsieur plutôt entêté, en fait, qui répugnait à s'entendre répondre par la négative quand il demandait quelque chose. Il avait laissé sa carte pour qu'on puisse le contacter si jamais se présentaient des bouteilles de ce millésime-là. Le gérant se gratta la tête et fouilla dans les tiroirs de son bureau ; il finit par dénicher une vieille boîte à cigares dans laquelle il conservait les cartes dont il pourrait avoir besoin un jour. Il les renversa sur le bureau – des cartes de clients anglais et américains, des critiques œnologues du monde entier, un ou deux grands chefs, des tonneliers, des sommeliers – et les étala, impressionnant déploiement d'écriture moulée et de luxueux bristol blanc.

Ses doigts voletèrent au-dessus des cartes avant de se poser sur l'une d'elles.

— La voici, déclara-t-il en faisant glisser un bristol à l'écart des autres, un monsieur très insistant.

Sophie et Sam se penchèrent dessus :

Florian Vial
Caviste
Groupe Reboul, palais du Pharo 13007 Marseille

Pendant qu'ils roulaient vers le château suivant – le quatrième de la journée –, Sam demanda à Sophie si elle connaissait le groupe Reboul. En avait-elle entendu parler ? Était-ce un négociant en vins ?

— Tout le monde en France connaît le groupe Reboul, s'esclaffa Sophie. Ces gens sont partout, s'occupent de tout. (Elle fronça les sourcils.) Sauf de vin. Je n'ai jamais entendu dire que Reboul s'intéressait au vin. Je vous parlerai de lui plus tard, mais ne vous excitez pas trop. Il s'agit sans doute d'un hasard.

Ou peut-être pas car, à Figeac puis à Margaux, ils découvrirent que M. Vial était passé avant eux, cherchant le 82 d'un cru et le 83 de l'autre, laissant sa carte dans les deux châteaux.

— Deux fois, ce pourrait être une coïncidence, déclara Sam, mais pas trois. Je vous invite à dîner si vous me racontez tout sur Reboul.

10.

Sam se considérait comme un aventurier de la gastronomie, prêt à manger à peu près tout ce qu'on posait dans son assiette : escargots, cuisses de grenouilles, soupe à l'aileron de requin, fourmis enrobées de chocolat, écureuils cuits dans l'argile, il les avait tous dégustés et les avait trouvés intéressants sinon toujours à son goût. Le courage lui manquait pourtant lorsqu'on en venait à cette panoplie de boyaux et de gésiers connue sous l'appellation d'abats. La seule mention du mot tripes lui arrachait un frisson. Pour cela, il était l'exemple classique du convive qui refuse d'essayer tel mets parce qu'il est certain qu'il ne l'aimera pas et, aussi loin que remontaient ses souvenirs, il était toujours parvenu à éviter les plats composés d'entrailles. Eh bien, cela allait changer.

Sophie avait insisté pour retourner dîner au restaurant de Delphine et, pendant le trajet, elle lui expliqua pourquoi. On était jeudi. Or, tous les jeudis, Olivier, le chef, préparait de sublimes rognons de veau cuits dans du porto et servis avec une purée de pommes de terre si légère et si mousseuse qu'elle flottait presque de l'assiette jusque dans votre bouche. C'était sans doute le plat au monde que Sophie préférait. Elle commençait à vanter les mérites de la sauce quand elle remarqua un manque d'enthousiasme dans la réaction de Sam en même temps qu'un rien de consternation se peignait sur son visage.

Elle s'arrêta et se tourna vers lui.

— Ah, dit-elle, j'oubliais. Les Américains ne mangent pas de rognons, n'est-ce pas ?

Elle le regarda avec amusement prendre une profonde inspiration.

— Nous n'en sommes pas fanas. Je crois que nous avons un problème avec les viscères. Je n'ai jamais essayé.

— Les viscères ?

— Vous savez, les organes. Les estomacs, les foies, les poumons, les ris, les abats...

— ... et les rognons. (Sophie lui lança un regard apitoyé. Comment un homme avait-il pu passer toute une vie sans goûter de rognons ? Elle lui enfonça un index impérieux dans l'épaule.) Je vous propose un marché. Essayez. Si vous n'aimez pas, vous aurez un steak frites et c'est moi qui paierai le dîner. Faites-moi confiance.

Ils s'installèrent à leur table et Sam tendait la main vers la carte des vins quand le doigt de Sophie intervint de nouveau, s'agitant cette fois d'avant en arrière comme un métronome emballé.

— Mais non, Sam. Comment pouvez-vous choisir

un vin pour accompagner quelque chose que vous n'avez jamais goûté ?

Il reposa la carte et attendit pendant que Sophie étudiait les pages, en se mordillant la lèvre inférieure d'un air concentré. Il se demandait si elle faisait la cuisine et, si oui, ce qu'elle portait alors. Un foulard de soie pour battre les œufs ? Des perles pour le dessert ? Hermès fabriquait-il des tabliers de cuisine ? Il fut interrompu dans ses réflexions par Delphine qui leur apportait des coupes de champagne ; les deux femmes tinrent à voix basse une conférence qui s'acheva dans un échange de hochements de tête et de sourires.

— Bon, dit Sophie. Pour commencer, blinis et caviar. Puis les rognons avec un pomerol exceptionnel, le château de l'évangile 2002. Cela vous paraît bien ?

— Je ne discute jamais avec une jolie femme qui s'y connaît en rognons.

Ils trinquèrent et Sophie entreprit de raconter à Sam ce qu'elle savait du groupe Reboul.

— Les Anglais ont Branson, commença-t-elle, les Italiens ont Berlusconi, et les Français ont Francis Reboul – Sissou pour ses amis et pour les journalistes qui, depuis quarante ans, rapportent fidèlement ses exploits dans le monde des affaires. Il est devenu une institution ou, selon certains, un trésor national, une personnalité flamboyante, un enfant de Marseille qui a fait carrière et qui savoure chaque seconde de sa réussite. Il n'est pas hostile à la publicité. Ses détracteurs prétendent même qu'il est incapable de s'habiller le matin sans publier un communiqué sur la couleur de sa cravate et la composition de sa garde-robe. Cela fait de lui le chouchou des médias : un événement incarné, qui vaut toujours un article.

« Et il n'arrête pas de monter coup après coup, poursuivit Sophie. L'empire qu'il a édifié au long des années englobe des entreprises de travaux publics, des titres de la presse régionale et des stations de radio, une équipe de football, des usines de traitement de l'eau, des entreprises de transport, d'électronique ; il semble avoir des intérêts partout.

Elle s'interrompit car les blinis arrivaient.

— Et le vin ? demanda Sam. Est-il propriétaire d'un château ?

— Je ne sais pas. Pas ici en tout cas. (Elle prit une bouchée de blini et ferma les yeux un moment.) Hmm, c'est bon. J'espère que vous aimez le caviar, Sam.

— J'adore. Comme tout le monde, non ?

— Absolument pas. Il existe des individus bizarres qui ne mangent ni abats ni poisson, rétorqua-t-elle avec un sourire charmeur avant de prendre une nouvelle bouchée de blini.

Sam, vaincu, leva les mains.

— OK, OK. Disons que j'aime les abats de poisson. Parlez-moi encore de Reboul.

Sophie fouilla dans ses souvenirs pour rassembler toutes les bribes d'informations qu'elle avait pu glaner dans la presse et à la télévision. Il vivait à Marseille dans une sorte de palais. Sa passion, proclamait-il fréquemment et publiquement, c'était la France et tout ce qui était français (à l'exception de Paris dont, comme tout bon Marseillais, il se méfiait). Il consentait même au suprême sacrifice de payer ses impôts en France et, chaque mois d'avril, il donnait une conférence de presse pour annoncer au monde l'importante contribution qu'il apportait année après année à l'économie nationale. Il aimait bien les jeunes femmes, lesquelles apparaissaient régulièrement à côté de lui dans les pages des magazines, et qu'une presse indulgente décrivait toujours comme ses nièces. Il entretenait deux yachts : l'un pour l'été, à Saint-Tropez, l'autre pour l'hiver, aux Seychelles. Et, bien sûr, il possédait un jet privé.

— C'est tout ce que je sais, conclut Sophie. Si vous voulez en savoir plus, il faudra vous adresser à ma coiffeuse. Elle est folle de lui. Elle pense qu'il devrait être président de la République. (Elle jeta un coup d'œil par-dessus l'épaule de Sam.) Fermez les yeux, Sam. Voici les rognons.

Sam ferma les yeux, mais son nez le prévint : on avait déposé les rognons devant lui. Il baissa la tête et huma le lourd parfum un peu faisandé, plus fort que celui d'une viande ordinaire, chaleureux et riche, et infiniment appétissant. Peut-être s'était-il trompé à propos des abats. Il rouvrit les yeux. Au milieu de l'assiette, un filet de vapeur montait d'un volcan de purée de pommes de terre, son cratère retenant une petite flaque de sauce. Entourant la purée, quatre rognons dodus d'un brun foncé, chacun à peu près de la taille d'une balle de golf.

Sophie se pencha à travers la table pour déposer sur son assiette une cuillerée de moutarde.

— N'en mettez pas trop, sinon cela va tuer le vin. Bon appétit.

Elle se redressa et le regarda prendre sa première bouchée.

Il mastiqua. Avala. Réfléchit. Sourit.

— Vous savez, je dis depuis toujours qu'à la fin d'une dure journée il n'y a rien de tel pour vous ragaillardir que des rognons au porto. (Il déposa un baiser sur le bout de ses doigts.) Merveilleux.

Les rognons et l'excellent pomerol eurent un effet magique ; lorsque Sophie eut utilisé son dernier morceau de pain pour saucer son assiette, ils étaient tous deux un peu gris et pleins d'optimisme. Le lien de Reboul avec l'affaire était intéressant, peut-être rien de plus, mais du moins était-ce une piste qui leur donnait quelque chose sur quoi travailler.

— D'après ce que vous me racontez, résuma Sam, il a de l'argent à ne savoir qu'en faire, il est un peu excentrique et il adore tout ce qui est français. Son intérêt pour le vin est-il sérieux ? Je pense que oui puisqu'il a un caviste. A-t-il des contacts aux États-Unis ? Collectionne-t-il autre chose que les jolies filles et les yachts ? J'aimerais en apprendre davantage sur lui.

— Dans ce cas, vous devriez rencontrer mon cousin, suggéra Sophie. (Elle hocha la tête et prit son verre.) Oui, mon cousin Philippe. Il habite Marseille et travaille pour *La Provence*, le grand quotidien de la région. Il est grand reporter. Il saura des choses sur Reboul et ce qu'il ne sait pas, il peut le trouver. Il vous plairait : il est un peu fou. Ils le sont tous là-bas. On les appelle des fadas.

— Il me paraît formidable. Exactement ce qu'il nous faut. Quand partons-nous ?

— Nous ?

Sam se pencha sur la table, la voix grave, l'air sérieux.

— Vous ne pouvez pas me laisser partir seul. Marseille est une grande ville, je serais perdu. Je n'aurais personne avec qui partager une bouillabaisse. Et d'ailleurs, les gens de Knox comptent sur vous pour relever le moindre indice, suivre la moindre piste, même si cela implique de descendre dans le sud de la France. Comme on dit dans l'assurance, c'est un sale boulot, mais il faut bien que quelqu'un le fasse.

Sophie secouait la tête mais ne pouvait s'empêcher de rire.

— Vous arrivez toujours à persuader les femmes de faire ce que vous voulez ?

— Pas aussi souvent que je le souhaiterais. Mais je persévère. Que diriez-vous d'un peu de ce camembert que Delphine garde enchaîné dans la cave ?

— D'accord pour le camembert.

Le temps de finir le vin, le café et le calvados que Delphine leur proposait, c'était d'accord pour Marseille aussi.

Sam avait bouclé ses bagages et s'apprêtait à s'endormir avec une dose de CNN quand son portable sonna.

— Bonjour, Mr Levitt. Comment allez-vous ? (La voix, féminine, était chaleureuse, pleine d'entrain et résolument californienne.) Je vous passe Elena Morales.

Sam étouffa un bâillement.

— Elena, as-tu une idée de l'heure ?

— Ne m'en veux pas, Sam. La journée a été... tu ne peux pas imaginer. J'ai eu Roth sur le dos. Il a débarqué au bureau et m'a fait une scène qui a duré une heure : des avocats, les médias, son copain le gouverneur. S'il était resté plus longtemps, je crois que j'aurais eu droit à la Cour suprême. Autrement dit, il veut savoir ce qui se passe et il veut son argent. Il m'a demandé ton numéro, mais je lui ai dit que tu étais injoignable.

— Bien joué, mon ange !

— Mais il va revenir à la charge. Qu'est-ce que je vais lui dire ? Tu n'as toujours rien ?

Sam savait reconnaître l'accent du désespoir. Danny déchaîné, la bave aux lèvres et prodiguant des menaces à tout-va, c'était suffisant pour mettre à l'épreuve la patience d'un saint. Le moment était venu de lancer un mensonge qu'il espérait plausible.

— Écoute, dis à Roth que je mène des négociations avec les autorités de Bordeaux et que j'espère obtenir des résultats dans les prochains jours. Mais – et c'est très important – ces négociations sont délicates et *extrêmement* sensibles. Il y va de la réputation de Bordeaux. La moindre fuite, où que ce soit, compromettrait tout. Alors, pas d'avocats, pas de médias et pas de gouverneur. OK ?

Il entendait presque le cerveau d'Elena cogiter à l'autre bout du fil.

— Qu'est-ce qui se passe vraiment, Sam ?

105

— Il est arrivé quelque chose qui pourrait, ou pas, être important, alors nous allons à Marseille demain pour vérifier.

— Nous ?

Sam soupira. C'était la deuxième fois de la soirée qu'on lui posait cette question.

— Mme Costes m'accompagne. Elle a là-bas un contact qui pourrait être utile.

— Comment est-elle ?

— Mme Costes ? Oh, blonde, grosse, la cinquantaine. Tu vois ?

— Oui, très bien. Ravissante.

— Bonsoir, Elena.

— Bonsoir, Sam.

11.

Sam n'était jamais allé à Marseille, mais il avait vu *The French Connection* et lu un ou deux articles enthousiastes d'écrivains voyageurs. Il pensait donc savoir à quoi s'attendre : des personnages douteux – à coup sûr, futurs parrains de la Mafia – rôdant à chaque coin de rue ; le marché aux poissons du quai des Belges où se procurer des substances normalement introuvables dans les produits de la pêche : bars bourrés d'héroïne ou mérous garnis à la cocaïne ; des pickpockets et des voyous commodément postés de façon à soulager le touriste sans méfiance de son appareil photo, de son portefeuille ou de son sac à main. À tous égards donc, pour reprendre la formule de Somerset Maugham évoquant la Côte d'Azur, « un endroit baigné de soleil pour des individus qu'on devrait mettre à l'ombre ». Cela paraissait intéressant.

Sophie, qui avait visité la ville une fois, quelques années auparavant, ne tenta pas grand-chose pour le pousser à changer d'avis. Comparée à la respectabilité ordonnée de Bordeaux, Marseille, dans son souvenir, était un labyrinthe délabré, grouillant d'hommes et de femmes bruyants et à l'aspect souvent inquiétant. « Louche » fut le terme qu'elle employa pour décrire et la ville et ses habitants – le dictionnaire indique comme synonymes « sournois », « peu clair », « pas net » et « équivoque », et elle se demandait comment son cousin Philippe pouvait vivre heureux dans un endroit pareil. Il est vrai, comme elle le confia à Sam, qu'elle lui trouvait souvent un côté un peu louche, justement.

Lorsqu'ils arrivèrent cet après-midi-là à l'aéroport de Marignane, ces sombres pensées se dissipèrent pourtant aussitôt devant la clarté aveuglante de la lumière, le bleu Gauloises du ciel et le caractère jovial du chauffeur de taxi qui les conduisait à leur hôtel ; il devint vite évident que ce dernier avait manqué sa vocation : il aurait dû travailler pour l'office de tourisme. À l'entendre, Marseille était le centre de l'univers, et Paris un malheureux petit point sur la carte. Marseille, vieille de plus de deux mille six cents ans, constituait un trésor d'histoire, de tradition et de culture. C'était pour les restaurants de Marseille que Dieu avait créé les poissons. Et les Marseillais étaient les gens les plus généreux et les plus chaleureux qu'on pouvait rencontrer.

Sophie avait accueilli ces propos sans faire de commentaire, même si un demi-sourire et quelques haussements de sourcils suggéraient qu'elle n'était pas totalement convaincue. Elle profita de ce que le chauffeur s'interrompait afin de reprendre son souffle pour lui demander ce qu'il pensait de Francis Reboul.

— Ah, Sissou, le roi de Marseille! fit le chauffeur d'un ton soudain respectueux. Il devrait diriger le pays. Un homme du peuple, malgré ses milliards. Imaginez un peu, quelqu'un qui joue aux boules avec son chauffeur! Quelqu'un qui aurait les moyens d'habiter n'importe où, et où choisit-il de vivre? À Paris, à Monte-Carlo, en Suisse? Non, ici même, à Marseille, au palais du Pharo, pour pouvoir contempler de sa fenêtre la plus belle vue du monde, en partie sur le château d'If, et... *Merde!*

Le chauffeur freina brutalement et, déclenchant un concert de coups de klaxon, se mit à zigzaguer en marche arrière jusqu'à une petite allée qui menait à l'hôtel. Non sans s'excuser d'avoir raté la bonne rue, il les déposa à bon port, donna sa carte à Sophie, accueillit avec un grand sourire le pourboire de Sam et leur souhaita un séjour mémorable à Marseille.

Sur le conseil de son cousin Philippe, Sophie avait réservé au Sofitel Vieux-Port, un établissement moderne avec vue sur le fort Saint-Jean bâti au XIIe siècle, un des trois ouvrages édifiés pour protéger la ville des pirates... et des Parisiens amateurs de mer. Une fois dans sa chambre, Sam fit glisser la baie vitrée et sortit sur la terrasse pour respirer une grande goulée d'air salé. « Pas mal, apprécia-t-il en contemplant le panorama de la cité. Pas mal du tout. » Le printemps était en avance à Marseille et les reflets du soleil sur l'eau semblaient avoir nettoyé l'air de façon à le rendre étincelant. Les mâts de centaines de petits bateaux transformaient le port en une forêt flottante. Au large se découpait, nette et précise, la silhouette du château d'If. Sam se demanda si Reboul bénéficiait d'une vue plus belle.

Il descendit rejoindre Sophie dans le hall : elle marchait de long en large, son portable collé à l'oreille. Sa conversation terminée, elle s'approcha en jetant un coup d'œil à sa montre.

— C'était Philippe, dit-elle. Il propose que nous nous retrouvions pour prendre un verre dans une demi-heure.

— Ils commencent de bonne heure à Marseille. Il vient ici ?

Sophie secoua la tête en soupirant.

— Ce n'est jamais simple avec Philippe. Il veut nous montrer un de ces petits bars que ne fréquentent jamais les touristes. Dans le Panier. Depuis l'hôtel, une jolie promenade, typiquement marseillaise. Vous êtes prêt à faire cette excursion ?

Suivant le plan qu'ils avaient pris à la réception, ils descendirent la colline en direction du Vieux-Port. Tout en marchant, Sophie lui raconta le peu qu'elle savait du Panier. Ce quartier, le plus vieux de Marseille, habité jadis par des pêcheurs, des Corses et des Italiens, était devenu pendant la guerre une cachette pour les réfugiés juifs et tous ceux qui tentaient d'échapper aux nazis. En 1943, à titre de représailles, les Allemands avaient fait évacuer le secteur puis en avaient fait sauter la plus grande partie.

— Philippe connaît plein d'histoires sur cette période, poursuivit Sophie. Après la guerre, on a rebâti le quartier – pas avec beaucoup de goût, je dois le dire – et aujourd'hui il est essentiellement habité par des Arabes.

Ils traversèrent le quai à l'extrémité du Vieux-Port, se frayant leur chemin parmi les cohortes de touristes et d'étudiants qui attendaient le ferry pour le château d'If. Des vieillards juchés sur un muret, clignant des yeux comme des lézards au soleil, lorgnaient les filles. Deux ou trois chiens flairaient l'emplacement où, dans la matinée, s'était tenu le marché aux poissons. Des bébés dans leurs poussettes prenaient l'air tandis que leurs mères bavardaient. Une scène paisible et familiale qui provoqua chez Sam une légère déception.

— Tout cela ne m'a pas l'air bien dangereux, constata-t-il. Où sont les voyous ? Ils ne travaillent pas le vendredi ? On ne m'a pas encore piqué mon portefeuille, vous avez encore votre sac et voilà près d'une heure que nous sommes à Marseille. Ces types perdent la main.

— Ne vous inquiétez pas, le réconforta Sophie en lui tapotant le bras. Nous demanderons à Philippe. Il vous indiquera les endroits où vous pourrez faire de mauvaises rencontres ! (Elle s'arrêta pour consulter le plan.) Il faut trouver la montée des Accoules, juste avant la cathédrale. Et regardez comme c'est intéressant : notre plus proche voisin est Reboul.

Elle lui montra le plan et, en effet, le palais du Pharo n'était qu'à quelques centaines de mètres de leur hôtel.

Sitôt quittés les espaces découverts éventés qui bordaient le port, l'atmosphère changeait radicalement. Le soleil disparut. La montée, un raidillon étroit et sombre, ne permettait qu'à peine à une voiture de passer. Des bâtiments délabrés qui, au soleil, auraient pu dégager un certain charme avaient simplement l'air sinistre. Seuls signes de vie, les odeurs de cuisine épicée et le gémissement de la musique pop nord-africaine qui s'échappaient des fenêtres des maisons qu'ils longeaient. Puis ils tournèrent à gauche dans une ruelle.

— Je crois que le bar est au bout, annonça Sophie, sur une placette qui n'a même pas de nom. Je ne sais pas comment Philippe déniche ces endroits.

— Les types un peu louches connaissent toujours les meilleures adresses. Mais, soyons justes, il veut, avez-vous dit, nous montrer quelque chose de typiquement marseillais.

Cette remarque provoqua chez Sophie une moue accompagnée d'un petit sifflement dédaigneux entre ses lèvres froncées. Une performance fondamentalement française que Sam avait tenté à plusieurs reprises de reproduire sans grand succès. Ses essais évoquaient plutôt la flatulence que le mépris. Il en avait conclu qu'il fallait des lèvres typiquement françaises.

Au bout de la ruelle, ils débouchèrent sur un petit square au milieu duquel se dressait un platane pas très grand, mais déterminé puisqu'il avait réussi à survivre malgré le collier de béton qui l'enserrait. Et, dans un coin, ses vitres couvertes de slogans tracés à la peinture blanche et rédigés par des amateurs de football – les préférés étant ALLEZ L'OM! et DROIT AU BUT! –, le bar. Des lettres défraîchies au-dessus de l'entrée annonçaient qu'il s'agissait du

Sporting. Garé devant, un scooter Peugeot noir et poussiéreux.

Sam poussa la porte, et le courant d'air frais fit frémir l'épais brouillard de fumée de tabac. Les conversations s'arrêtèrent. Des joueurs interrompirent leur partie de cartes pour lever vers lui leurs visages ravagés. Deux autres clients, accoudés au bar, se retournèrent pour le regarder. Le seul de cette assemblée à sourire, un costaud aux cheveux bruns, une sorte de gros ours assis à une table dans un coin, se leva, ouvrit grands les bras et se précipita sur Sophie.

— Ma petite cousine, s'exclama-t-il en l'embrassant fougueusement sur les deux joues, enfin à Marseille ! Bienvenue, bienvenue. (Se tournant vers Sam, il changea de langue.) Vous devez être Sam, l'Américain, dit-il en lui saisissant la main et en la secouant énergiquement. Bienvenue à Marseille. Qu'est-ce que vous buvez ? (Il se pencha vers eux en baissant la voix.) Entre nous, j'éviterais le vin de la maison si vous tenez à terminer la journée vivants. Un pastis, peut-être ? Une bière ? Sinon il y a un excellent whisky corse. Asseyez-vous, asseyez-vous.

Sam regarda autour de lui. Le décor avait connu des jours meilleurs, mais ça faisait longtemps. La plupart des carreaux qui recouvraient le sol en damier étaient usés jusqu'au ciment. Le plafond, jadis blanc, avait aujourd'hui une teinte brunâtre maculée de nicotine. L'âge avait patiné les tables et les chaises.

— Charmant endroit, constata-t-il. On y organise des mariages ?

— Seulement des enterrements, rétorqua Philippe avec un sourire. Mais c'est tranquille, discret. Je l'utilise pour rencontrer les politiciens locaux qui ne veulent pas être vus discutant avec la presse.

— Ils n'ont pas de téléphone ?

— Les téléphones, ça se met sur écoute, expliqua Philippe avec un petit claquement de langue. Vous qui vivez en Amérique, vous devriez le savoir. (Il se tourna vers le bar.) Mimine, s'il te plaît, on est presque morts de soif !

— J'arrive, j'arrive.

La voix de Mimine, une plaisante voix de baryton léger, leur parvint à travers un rideau de perles en bois accroché derrière le bar, aussitôt suivie de sa propriétaire. Un spectacle impressionnant : plus d'un mètre quatre-vingts juché sur des talons hauts, une tignasse crépue de cette rousseur qui semble briller dans le noir, d'énormes anneaux d'or aux oreilles et une poitrine vraiment monumentale, en grande partie visible, le reste s'efforçant de s'échapper d'un débardeur trop petit de deux tailles. Elle se planta devant la table, les poings sur les hanches, les yeux fixés sur Sam. Le saluant de la tête, elle s'adressa à Philippe : un torrent de mots déversés à une vitesse folle avec un accent vaguement français, le tout conclu sur un gloussement un peu rauque. Philippe éclata de rire, Sophie rougit, quant à Sam, il n'avait absolument rien compris.

— Mimine trouve que vous êtes beau gosse, traduisit Philippe qui riait encore. Je ne vous dirai pas ce qu'elle a proposé mais ne vous inquiétez pas. Tant que vous restez avec moi, vous ne risquez rien.

Ils passèrent leur commande et Mimine se pencha un peu plus qu'il n'était nécessaire pour déposer devant lui le pastis de Sam. Pour la première fois de sa vie, on le reluquait : bizarre, mais plutôt plaisant.

— Allons, Philippe, l'exhorta Sophie, cesse de rire. Assez de bêtises. Sam va t'expliquer pourquoi nous sommes venus à Marseille.

Commençant par le cambriolage de Los Angeles et finissant avec la découverte à Bordeaux des cartes de visite de Florian Vial, Sam raconta tout ce qu'il estimait que Philippe avait besoin de savoir. Le gaillard écouta avec attention, posant de temps à autre une question, prenant des notes. Quand Sam eut terminé, Philippe garda le silence quelques instants, en tapotant son stylo contre son carnet.

— Bon. Eh bien, je peux vous procurer tout ce que nous avons sur Reboul, ce qui n'est pas mal. Mais ça ne suffit pas, n'est-ce pas ?

— Nous avons besoin de le voir, confirma Sam en secouant la tête.

— S'il est à Marseille, pas de problème. Il est incapable de résister à une interview. Bien sûr, il faut que vous trouviez une bonne histoire.

— Et nous avons besoin aussi de voir sa cave.

— Dans ce cas, il vous faut une *très* bonne histoire. (Philippe sourit et se remit à tapoter son carnet.) À propos d'histoires, il pourrait y avoir quelque chose pour moi là-dedans. On ne sait jamais, fit-il en haussant les épaules.

— Comment cela ?

— Un scoop, mon cher Sam. C'est le mot, non ? Supposons que votre enquête débouche sur quelque chose d'intéressant, un petit scandale impliquant l'homme le plus riche de Marseille. Ça ferait la une du journal, et je ne voudrais pas la partager avec un autre journaliste. Vous comprenez ?

— Ne vous inquiétez pas, Philippe. Ça ne sortira pas de la famille. Vous nous aidez et en retour vous avez l'exclusivité. Marché conclu, dit Sam en lui tendant la main à travers la table.

Les deux hommes échangèrent une poignée de main et Philippe se leva.

— Je vais retourner au bureau et m'attaquer au dossier Reboul. Vous restez ici ? ajouta-t-il avec un clin d'œil à Sam. Je suis certain que Mimine s'occupera bien de vous.

— Il faut pardonner à mon cousin, dit Sophie en se levant à son tour et en secouant la tête d'un air navré. Je me demande parfois comment nous pouvons être parents.

Sorti du bar, Philippe ouvrit le cadenas de son scooter et s'installa sur la selle.

— La seule façon de circuler dans Marseille, expliqua-t-il en emballant le moteur. À bientôt, les enfants.

Et, avec un geste d'adieu, il dévala la ruelle en pétaradant, sa lourde masse en équilibre précaire sur les deux petites roues.

12.

— Nous cherchons donc, récapitula Sam, à faire un reportage détaillé, un prétexte qui nous permette d'accéder à la cave de Reboul, et d'y rester assez longtemps pour savoir exactement ce qu'il y a entreposé : deux bonnes heures certainement, étant donné tous les vins qu'il possède, peut-être plus. Il nous faudra prendre des notes ainsi probablement que des photos. Par ailleurs, il faudra que le contenu de cet article ne puisse pas se vérifier rapidement. (Il fit un signe de tête approbateur et le serveur entreprit de déboucher la bouteille.) Pas facile. Vous avez des idées?

Ils avaient décidé de dîner au restaurant de l'hôtel qui proposait le poisson local, le vin blanc de Cassis et une vue imprenable du coucher de soleil sur le Vieux-Port. Il était encore tôt et, à part une table d'hommes d'affaires qui ouvraient leurs porte-documents et dépliaient leurs plans de marketing en prévision d'un joyeux dîner, ils avaient le restaurant pour eux.

— J'y ai réfléchi, répondit Sophie. Si ce que dit Philippe est exact, rencontrer Reboul ne pose aucun problème. Nous pourrions dire que nous préparons un portrait de lui pour un magazine…

Elle s'arrêta : Sam secouait déjà la tête.

— Il demanderait le nom du magazine et son équipe se renseignerait probablement auprès du rédacteur en chef, pour s'assurer qu'il ne s'agit pas de l'éreinter. Dans tous les cas, interviewer Reboul n'est qu'un écran de fumée, un moyen de parvenir à nos fins. C'est la cave que nous voulons voir. Les vins.

L'expérience de Sophie en matière de bluff et de supercherie se limitait à un dîner à Bordeaux au cours duquel s'étaient posés quelques délicats problèmes d'étiquette, mais elle s'amusait beaucoup, découvrit-elle, à inventer une fiction crédible.

— Je sais ! s'exclama-t-elle. Vous êtes un riche Américain qui veut se constituer une superbe cave – il est pressé, naturellement, comme tous les riches Américains – et je suis votre consultante. Nous nous adressons à Reboul pour qu'il nous guide dans notre choix car nous avons entendu dire qu'il possède une des plus belles caves de France.

Sam fronçait les sourcils.

— Mais qu'y gagnerait-il, lui ? Pourquoi accepterait-il d'aider deux inconnus ?

— Parce qu'il est sensible à la flatterie. (Sophie haussa les épaules.) C'est vrai de tous les hommes, encore plus de ceux qui ont réussi. Bien sûr, ce n'est pas une raison suffisante, pas pour quelqu'un qui aime la publicité. Et nous savons qu'il adore la publicité. En tout cas il n'est certainement pas du genre à faire de bonnes actions en secret.

Sam s'apprêtait à la servir quand il s'arrêta net, la bouteille à mi-chemin entre le seau à glace et le verre de Sophie.

— J'ai bien entendu? Vous avez bien dit que Reboul possède une des plus belles caves de France?

Sophie acquiesça.

— Et alors?

— Vous dites « la plus belle cave » et je pense aussitôt à un livre. Vous savez, un best-seller. Bon, supposons que nous préparions un livre, un gros livre, magnifique, cher, un livre qui raconte tout sur les plus belles caves de France – non, disons les plus belles caves du monde –, et que nous voulions y faire figurer celle de Reboul. (Sam était si visiblement emballé par cette idée qu'il en avait oublié la bouteille qu'il tenait à la main, le serveur attendant patiemment derrière lui.) Et pourquoi? Parce qu'elle a tout : une remarquable collection de vins, un cadre extraordinaire, un propriétaire fascinant à la réussite exceptionnelle; elle a vraiment tout. Le livre, bien sûr, serait illustré par un des meilleurs photographes du monde. Reboul aurait donc sa ration de flatterie, une flatterie *publique*. Et nous tiendrions là une raison de passer tout le temps nécessaire dans sa cave, pour prendre des notes et des photos. (Sam se carra dans son fauteuil et remit enfin la bouteille au serveur qui attendait toujours de remplir leurs verres.) Qu'en pensez-vous?

— Pas mal, apprécia Sophie. Excellent, en fait. Mais j'ai une question de taille. Qui sommes-nous? Oui, pour quelle maison d'édition travaillons-nous? Reboul voudra certainement le savoir.

Sam, imitant Sophie, braqua sur elle un index réprobateur.

— Nous ne sommes pas des éditeurs, mais des packageurs indépendants. Nous avons l'idée d'un livre que nous intitulerons *Les Plus Belles Caves du monde*. Nous engageons auteurs et photographes, fabriquons une maquette et vendons ensuite les droits d'édition au plus offrant des grands éditeurs internationaux : Bertelsmann, Hachette, Taschen, Phaidon, par exemple.

— Comment avez-vous appris toutes ces choses ?

— Il y a deux ans, expliqua Sam, évoquant son unique et bref contact avec le monde de l'édition, je me trouvais pour affaires à Francfort au moment de la Foire du livre. Un véritable zoo, mais très important : les éditeurs du monde entier s'y rendent pour acheter et vendre. J'ai fait la connaissance de quelques-uns d'entre eux qui se retrouvaient chaque soir au bar de l'hôtel. Mon Dieu, ce que ces gens-là peuvent boire ! Ils discutaient. J'écoutais. J'ai appris un tas de choses. C'était très intéressant.

Tout en savourant lentement et avec plaisir le bar au fenouil, le fromage de chèvre frais avec de la tapenade et un sorbet au romarin, Sophie et Sam fignolèrent leur idée. Au moment du café, ils avaient le sentiment d'avoir bâti une histoire qui tenait la route. Sophie se procurerait auprès de Philippe le numéro de téléphone du bureau de Reboul et, avec un peu de chance, obtiendrait un rendez-vous. Sam achèterait un appareil photo et mettrait la dernière main à leur numéro.

— Je viens juste de penser à la façon idéale de terminer la soirée, déclara-t-il en signant l'addition. Une discrète reconnaissance au clair de lune.

— Pardon ? demanda Sophie, méfiante.

— Une reconnaissance clandestine. Aller jeter un coup d'œil à la maison de notre voisin pourrait s'avérer intéressant. Vous m'accompagnez ?

— Pourquoi pas ?

Ils sortirent de l'hôtel et, après avoir gravi la colline, suivirent le boulevard Charles-Livon jusqu'à de monumentales grilles de fer qui avaient été laissées ouvertes. Au loin, au bout d'une allée obscure, on distinguait de la lumière, venant sans doute de la maison.

— Tout ça pour un seul homme ! Eh bien, j'aurai tout vu ! s'exclama Sam en s'engageant dans l'allée, suivie d'une Sophie légèrement nerveuse.

— Sam, protesta-t-elle en le tirant par la manche, que dirons-nous si quelqu'un nous arrête ?

— D'abord, cessons de chuchoter. Et nous dirons... oh, je ne sais pas, que nous sommes deux innocents touristes américains et que nous avons cru qu'il s'agissait d'un jardin public. Mais, rappelez-vous, nous ne parlons pas français. Souriez beaucoup. Tout ira bien.

Plus ils remontaient l'allée, plus la rumeur de la circulation sur le boulevard s'estompait. Au bout de deux cents mètres, ils atteignirent l'extrémité d'une pelouse soigneusement tondue, de la taille d'un terrain de football, au-delà de laquelle, flamboyante de lumières, se dressait la demeure de Francis Reboul.

Sam émit un petit sifflement.

— De quoi donner un complexe d'infériorité à la Maison Blanche !

Ils s'arrêtèrent pour contempler le bâtiment, un édifice colossal de deux étages sur trois côtés, dont les deux ailes entouraient une avant-cour de gravier. Presque perdues dans un coin, une demi-douzaine de limousines noires étaient garées dans un alignement parfait et, grâce à la lumière qui ruisselait par les fenêtres du rez-de-chaussée, on distinguait des chauffeurs en livrée qui, tout en bavardant et fumant, attendaient dans la fraîcheur de la nuit.

— Une réception, dit Sam. (Il jeta un coup d'œil à sa montre.) Nous ferions mieux de ne pas nous attarder. Les invités risquent de commencer à s'en aller.

Ils entamaient leur demi-tour quand le faisceau d'une puissante torche électrique les frappa en pleine figure. Un garde et un berger allemand jaillirent de l'obscurité et s'avancèrent vers eux. Ni l'un ni l'autre ne semblait d'humeur accueillante.

Sam sentit Sophie se pétrifier auprès de lui. Il prit une profonde inspiration, leva les mains et sourit dans la lumière éblouissante.

— Bonsoir. Nous sommes un peu perdus. Vous parlez anglais ?

— Que faites-vous ici ? rétorqua l'homme en français.

— Non, je pense que vous ne parlez pas anglais, constata Sam. (Le chien poussa un grognement et tira sur sa laisse.) Nous cherchons notre hôtel, expliqua-t-il. Le Sofitel. Hôtel Sofitel ?

Il agita les bras, avouant son impuissance à retrouver l'un des hôtels les plus visibles de Marseille.

Le garde approcha, l'air tout aussi menaçant que son chien. Sam se demanda s'ils mordaient à tour de rôle. Avec un geste de la tête, le garde braqua le faisceau de sa torche vers l'allée.

— Au bout du chemin. Puis à gauche, dit-il, toujours en français.

— « Gauche... » ça veut dire *left*. C'est bien ça ? *Gracias*... non, attendez... merci. (Sam se tourna vers Sophie.) J'en ai assez de ces foutues langues étrangères. L'année prochaine nous irons à Cape Cod.

Le garde se renfrogna et fit de nouveau un geste avec sa torche, comme s'il cherchait à les balayer de son faisceau. Les crocs du chien luisaient à la lumière. Sophie prit par le bras Sam qui marmonnait toujours et l'entraîna vers l'allée.

Une fois retrouvée la sécurité du boulevard, Sophie poussa un soupir de soulagement et éclata de rire.

— C'est ce que vous appelez une discrète reconnaissance ? Il n'était pas gentil du tout, cet homme.

— Pauvre diable, dit Sam. Quel sale boulot : marcher toute la nuit en compagnie d'un chien, il y a de quoi vous rendre grincheux. Je me demande s'il est là à demeure ou seulement quand il y a des invités. Tous ces chauffeurs semblent indiquer que Reboul a des amis plutôt friqués. Et en plus une maison vraiment pas mal du tout. J'ai hâte de voir l'intérieur.

Ils regagnèrent l'hôtel et prirent leurs clés à la réception. Sophie tenta d'étouffer un bâillement :

la journée avait été longue, et Bordeaux lui semblait bien loin.

— Fin prête pour demain? s'enquit Sam. Pour votre premier jour de packageuse. Là, ça risque de devenir intéressant.

— Je n'ai jamais rencontré de packageuse. Que portent-elles?

— Du persuasif. Dormez bien. À demain matin.

— À la première heure?

— À la première heure.

Tout en se douchant, Sam passa leur journée en revue. Philippe promettait d'être d'un grand secours : il était serviable, plein d'humour et assez malin pour repérer tout de suite les possibilités d'un scoop. Il donnait aussi l'impression, comme l'en avait prévenu Sophie, d'avoir quelque chose d'un peu *louche*. Il y avait chez lui un côté aventurier, qualité que Sam n'avait aucun mal à reconnaître, et il y voyait la base d'une collaboration fructueuse. Demain prouverait, ou non, si Philippe était capable de tenir ses promesses concernant Reboul.

Et puis il y avait Sophie, une personnalité beaucoup plus compliquée. Sam avait le sentiment qu'elle se trouvait dans une certaine mesure prisonnière de son milieu : ce milieu bourgeois profondément français, avec ses règles de comportement social, ses manières à table qu'on observait strictement, son code vestimentaire et sa répugnance à adopter quiconque ou tout ce qui n'était pas conforme. Sophie pourrait un jour changer : elle était intelligente, séduisante et pas peureuse, comme elle l'avait montré en l'accompagnant au palais du Pharo. Mais Sophie, Sam en convenait avec un soupir, n'était pas Elena Morales.

Il sortit de la douche, enroula une serviette autour de sa taille et passa dans la chambre. Son portable était posé sur la table de chevet à côté de sa montre. Il regarda l'heure. C'était la mi-journée à L.A. et Sam imaginait Elena grignotant dans son bureau un de ses habituels repas d'oiseau, évitant de nouveaux coups de téléphone de Danny Roth et se demandant si Sam avait fait des progrès dans son enquête et lesquels. Il fut tenté de l'appeler. Mais que lui dirait-il ? La vérité ? Qu'il avait envie d'entendre sa voix ? Il décida d'attendre le lendemain, quand il aurait quelque chose de concret à lui annoncer.

Il passa une demi-heure déconcertante devant un match de rugby retransmis par la télévision française et s'endormit bercé par le grondement du public.

13.

Sam sortit dans la fraîcheur matinale et étudia le petit déjeuner qu'on lui proposait. Soigneusement disposé sur la nappe blanche aux plis impeccables qui recouvrait la table de sa terrasse se trouvait tout ce qu'un homme raisonnable pouvait attendre pour commencer la journée : un pot de café aux puissants effluves, un autre, plus petit, empli de lait chaud, deux croissants magnifiquement dorés et un exemplaire du *Herald Tribune.* Il chaussa ses lunettes de soleil, s'assura que la vue était aussi belle que la veille, et allait s'asseoir avec une plaisante sensation de bien-être quand son portable se mit à sonner.

Avant de répondre, il regarda sa montre : Sophie prenait des habitudes américaines.

— Bonjour, dit-il. Vous êtes bien matinale.

— Les vieillards ne dorment guère, Sam, fit une voix douce au léger accent. Axel Schroeder.

Surpris, Sam mit un moment avant de répondre.

— Quel plaisir de vous entendre, Axel. Quoi de neuf ?

— Oh, des choses par-ci, par-là, Sam. Des choses. Si nous prenions un verre, ce soir ? (Un temps.) Si vous êtes encore à Paris.

« Il va à la pêche, se dit Sam. Il a sûrement appelé le Montalembert et appris que j'étais parti. »

— Rien ne me plairait davantage, Axel. Mais ce soir, ce n'est pas possible.

— Quel dommage, déplora Axel, parce que je déteste annoncer de mauvaises nouvelles par téléphone. (Sam l'entendit soupirer.) Je serai bref : sans entrer dans les détails et d'après ce qu'on m'a dit, c'est Roth qui a monté l'affaire du vin.

— Vraiment ?

— Oui, et je crains que vous ne perdiez votre temps en France. À mon avis, vous devriez rentrer en Californie.

— Merci, Axel. Je vous tiendrai au courant, soyez-en certain.

Sam, secouant la tête, se versa une première tasse de café. Il aimait bien Axel qui, à certains moments, pouvait surprendre – et probablement se surprendre lui-même – en disant la vérité. Mais pas cette fois, Sam le sentait : un signe encourageant, donc. Il arracha l'extrémité d'un croissant qu'il trempa dans son café, une autre habitude prise en France : un peu rustre, certes, mais délicieuse. La chaleur du soleil gagnait ses épaules, et il passa aux pages sportives du journal.

À onze heures, Sophie, Sam et Philippe étaient installés à une table dans un coin tranquille du hall de l'hôtel. Sophie, après avoir consacré le début de la matinée à négocier le franchissement des multiples barrages protégeant Reboul, avait enfin réussi à contacter sa secrétaire particulière : malheureusement, M. Reboul était avec son professeur de yoga et on ne pouvait pas le déranger ; la secrétaire avait malgré tout promis de rappeler Sophie.

— Que lui as-tu raconté ? demanda Philippe.

Sophie débita l'histoire qu'elle lui avait servie, Philippe approuvant de la tête tandis qu'elle décrivait son nouveau personnage de packageuse.

— Ça peut marcher, approuva-t-il lorsqu'elle eut terminé. (Il tira alors un épais classeur de sa sacoche en nylon tachée par les intempéries.) Voici le dossier Reboul. Je vous ai imprimé les parties intéressantes. Vous constaterez à quel point il adore qu'on lui prête attention et davantage encore si, en plus, il y a un photographe dans le coup. Exactement comme un politicien. (Il s'interrompit et ricana.) Enfin, peut-être pas à ce point. Tenez, regardez.

Il ouvrit le classeur, en étala le contenu sur la table et ils découvrirent Reboul, le bâtisseur, casque sur la tête au milieu d'un de ses chantiers de construction ; Reboul, le magnat de la presse, manches retroussées, probablement dans une salle de rédaction ; Reboul, en maillot de footballeur, bavardant avec des membres de l'Olympique de Marseille ; Reboul, coiffé d'un chapeau de paille effrangé, communiant avec une grappe de raisin ; Reboul, l'aviateur, s'apprêtant à embarquer dans son jet privé ; Reboul, le loup de mer, à la barre de son yacht ; ainsi que dans toutes sortes de tenues, du costume trois pièces au short et T-shirt ; Reboul, en fier propriétaire, chez lui, dans le palais du Pharo. Un cliché particulièrement intéressant montrait Reboul, le connaisseur, levant à la lumière un verre de vin devant des rangées de bouteilles qui s'alignaient à perte de vue, sans doute dans sa cave.

Sam s'attendait presque à tomber sur des photos de Reboul en pyjama, mais peut-être le grand homme n'avait-il pas le temps de dormir.

— Un type vraiment occupé, résuma Sam. Dispose-t-il d'un photographe personnel ?

— Au moins un, fit Philippe en souriant. Les rédacteurs qui le connaissent bien ne se donnent même pas la peine d'envoyer un photographe quand ils font un article sur lui.

— Pas de femme ? Y a-t-il une Mme Reboul ?

— Il y en avait une. Elle est morte voilà des années et il ne s'est jamais remarié. Ce qui ne veut pas dire qu'il n'a pas une ou deux petites amies. (Philippe fouilla de nouveau dans sa documentation et leur montra une photographie de Reboul en compagnie d'une ravissante jeune femme qui le dépassait de quinze bons centimètres.) Les messieurs de petite taille mais au portefeuille bien garni, poursuivit Philippe, s'avèrent particulièrement frétillants et courent toujours après les femmes grandes. N'est-ce pas, Sophie ? ajouta-t-il en remuant les sourcils.

Elle lui fit une grimace mais n'eut pas le temps de répliquer : son téléphone sonnait. Les deux hommes la regardèrent se lever et s'éloigner pour prendre l'appel. Bref mais positif. En revenant, Sophie arborait un grand sourire.

— Six heures trente ce soir, annonça-t-elle. Il faut que ce soit ce soir parce que, demain, il emmène son bateau en Corse ; il sera absent quelques jours.

— Formidable, applaudit Sam. Bien joué. Vous avez un bel avenir comme packageuse. Maintenant, de quoi avons-nous besoin pour ce soir ? Je ferais mieux d'acheter un appareil photo.

— Il faut que je trouve quelque chose à me mettre, dit Sophie. Du genre sérieux.

Philippe consulta sa montre.

— OK, mais d'abord, on déjeune, je meurs de faim, lança-t-il. Je connais un endroit typiquement marseillais. Nous discuterons pendant le repas.

Un taxi les déposa au coin de la rue du Village et de la rue de Rome, et Philippe les entraîna vers ce qui avait l'apparence d'une boucherie ordinaire, avec une vitrine décorée d'un assortiment de viandes de bœuf, d'agneau et de veau. Il s'arrêta net au moment d'entrer et se tourna vers Sam.

— J'espère que vous n'êtes pas végétarien ? Mais non, j'oubliais, vous êtes américain. Bien sûr, vous adorez la viande ! Et ici, on propose la meilleure de la ville.

À peine la porte franchie, Sam entendit un brouhaha de conversations provenant du fond de la boutique. Un jeune homme vint les accueillir, survécut à une vigoureuse accolade de Philippe et les conduisit dans une petite salle bondée où des taches de lumière filtraient entre les feuilles de la bougainvillée géante qui se déployait au-dessus de la verrière. Philippe, promenant son regard autour de lui, salua çà et là quelques clients.

— Ici, les gens sont tous de Marseille, expliqua-t-il à Sam avec une certaine satisfaction. Vous êtes probablement leur premier Américain.

Sam avait examiné le décor qui devait beaucoup à l'école bovine de la décoration intérieure. Partout, sur les tableaux, les sets de table, les salières, les poivriers et les menus, des représentations d'une imposante vache noir et blanc – la Belle.

— Je crois que j'ai deviné ce que nous allons manger, observa-t-il. Vous avez des plats à nous recommander ?

Philippe referma la carte.

— De la *bresaola* pour commencer, avec des cœurs d'artichaut, des tomates séchées et du parmesan. Ensuite les joues de bœuf qu'ils préparent ici avec une tranche de foie gras par-dessus. Et enfin un fondant au chocolat. Cela devrait nous permettre de tenir jusqu'au dîner. Faites-moi confiance.

Tandis qu'ils déjeunaient, une bouchée succulente après l'autre, Philippe se consacra à Sophie. Cela faisait trop longtemps qu'ils ne s'étaient pas vus, estimait-il, et il tenait à rattraper le temps perdu. Après une ou deux questions innocentes sur son travail et sur Bordeaux, il but une gorgée de vin, s'essuya les lèvres avec sa serviette et passa à des sujets plus délicats.

— Comment vont tes amours ?

— Philippe ! s'écria Sophie en rougissant de façon

charmante et semblant soudain découvrir quelque chose de fascinant dans son assiette.

— Voyons, je suis sûr que tu n'es plus mariée à ce... quoi déjà ? dessinateur de yachts ? Je lui ai toujours trouvé un côté un peu louche. (Il marqua un temps, penchant la tête de côté pour examiner Sophie.) J'ai raison, n'est-ce pas ?

— Le divorce vient d'être prononcé, acquiesça Sophie.

— Et alors ? insista Philippe. Et alors ?

— Et alors, je fréquente quelqu'un d'autre depuis bientôt dix-huit mois. (Elle regarda Sam en secouant la tête.) Voilà ce qui arrive quand on a un journaliste dans sa famille. (Puis, se tournant de nouveau vers Philippe, elle reprit :) Il s'appelle Arnaud Rolland, il a un petit château près de Cissac, une charmante vieille mère, pas d'enfants et deux labradors. Maintenant, laisse-moi terminer mon déjeuner.

— Oh, je te demandais ça comme ça, répondit Philippe en faisant un clin d'œil à Sam.

Au café, la conversation revint sur les événements de la soirée.

— Avant que j'oublie, lança Philippe en fouillant dans son sac à dos. Vos devoirs... de la lecture pour vous avant ce soir, ajouta-t-il en glissant à Sam un petit livre. L'histoire du palais du Pharo, passionnante en réalité. Reboul est très fier de sa demeure. Vous l'impressionnerez si vous lui montrez que vous en connaissez un peu le passé.

— Philippe ? demanda Sophie qui étudiait un plan de Marseille. Où irais-tu pour acheter des vêtements ?

Philippe épousseta un grain de poussière imaginaire sur son pantalon de treillis olive enfoncé dans de grosses rangers.

— Au surplus à côté de la Canebière. Le propriétaire me connaît et connaît mon style.

— Non, pas pour toi. Pour moi.

Philippe leva vers le plafond un regard songeur.

— Je suggérerais tout le secteur des rues Paradis et de Breteuil. Je vais te noter ça.

En sortant du restaurant, ils s'arrêtèrent un instant pour que Philippe leur indique où aller : Sophie pour trouver des boutiques, Sam pour acheter un appareil photo. Quant à Philippe, assumant l'impitoyable fardeau du journalisme, il partait couvrir l'inauguration du premier Salon de l'érotisme de Marseille, une manifestation unique et peut-être généreusement déshabillée. Il donna des précisions, mais Sophie se boucha les oreilles et partit.

Son appareil acheté, Sam retrouva sa terrasse, s'y installa et ouvrit le livre que lui avait donné Philippe : l'histoire bilingue de la splendide demeure aujourd'hui occupée par Reboul.

L'idée du palais du Pharo germa en 1852, quand Louis Napoléon Bonaparte, alors prince-président avant de devenir empereur, laissa entendre aux dignitaires locaux qu'une résidence dominant la mer serait tout à fait à son goût.

Une telle allusion, dans la bouche de Napoléon, équivalait presque à un ordre impérial, et le bon peuple de Marseille ne tarda pas à réagir. « Laissez-nous vous bâtir une maison », déclarèrent les

Marseillais. Napoléon, jugeant leur générosité un peu excessive (un sens de la modération peu fréquent chez les empereurs), déclina l'offre. Mais, dit-il, il accepterait avec plaisir un coin de terre approprié sur lequel il ferait construire une demeure qui lui conviendrait.

Comme souvent en Provence, la construction traîna en longueur et connut des problèmes. Le chantier fut officiellement ouvert en 1856, mais la première pierre ne fut posée qu'en 1858, le 15 août – heureuse coïncidence, justement le jour de la Saint-Napoléon. Chamailleries des multiples architectes, incompétence du maître d'œuvre, insuffisance du nombre des ouvriers pour une entreprise de cette ampleur, difficultés à s'approvisionner en pierres, fenêtres emportées par les fréquentes bourrasques, bref, les travaux s'éternisèrent : 1868 arriva, se termina, et le palais de Napoléon III était toujours inhabitable.

Mais le pire restait encore à venir. Deux ans plus tard, à la suite de quelques aventures militaires peu judicieuses, Napoléon III fut déposé. Il s'exila en Angleterre où il mourut en 1873. Sa veuve, Eugénie, rendit à Marseille ce qui leur avait été donné à son mari et à elle, laissant la ville propriétaire du plus spectaculaire éléphant blanc de la Côte.

Au cours des cent vingt années qui suivirent, les édiles découvrirent que l'entretien de ces énormes maisons, exposées de surcroît aux ravages de l'air salin, coûtait extrêmement cher. On tenta et on écarta des douzaines de projets pour amortir les frais.

Finalement, ce fut avec un immense sentiment de soulagement que la municipalité accepta l'offre de Reboul de louer le palais du Pharo pour son usage personnel. On signa les papiers le jour de la Saint-Napoléon 1993 et Reboul emménagea.

« Triste histoire, se dit Sam en refermant l'ouvrage. Si un empereur ne parvient pas, en dix ans, à se faire construire une maison, quel espoir nous reste-t-il à nous autres, gens ordinaires ? »

La brise du soir soufflait de la mer, apportant un air frisquet, et Sam rentra s'habiller – costume, cravate – pour le rendez-vous. Il vérifia son appareil photo tout neuf et fourra dans sa poche une douzaine de cartes de visite ; elles ne comportaient aucun détail sur son occupation, ce qui lui permettait de passer d'une profession à une autre. Il rajusta une dernière fois sa cravate – achetée aux soldes du Harvard Club – et descendit retrouver Sophie dans le hall.

En sortant de l'ascenseur, il la vit en grande discussion avec le concierge, extrêmement attentif et qui, de toute évidence, appréciait la toilette qu'elle portait, version française du tailleur de la femme d'affaires : une jupe juste au-dessus du genou et, sous une veste ajustée, un décolleté de dentelle.

Sophie, apercevant Sam, se tourna vers lui, une main sur la hanche, et le regard interrogateur.

— Alors ? Ça ira ?

Sam acquiesça en souriant.

— Vous faites honneur au métier d'éditeur. À vrai dire, vous feriez sensation dans l'édition.

— Je demandais au concierge de nous appeler un taxi, dit-elle. Dans ces chaussures, je suis incapable de parcourir plus de vingt mètres.

Sam regarda les chaussures.

— Je comprends parfaitement, dit-il en offrant son bras à Sophie. Allons-y. C'est le soir de chance de Reboul.

14.

Les lourdes grilles s'ouvrirent à l'arrivée du taxi. À une cinquantaine de mètres, au bord de l'allée, se dressait la statue plus grande que nature d'une femme vêtue de la tunique flottante portée dans la Grèce antique ; le regard aveugle de ses yeux de marbre fixait l'énorme bâtiment visible au loin tandis que ses bras tendus semblaient tenter de le toucher.

— L'impératrice Eugénie, expliqua le chauffeur en la désignant de la tête au passage. La pauvre, elle ne s'est jamais approchée davantage de son palais.

Sur les marches du perron, la tête inclinée dans un salut respectueux, attendait un jeune homme en costume noir. Il fit entrer les visiteurs et les guida le long d'un couloir au parquet à chevrons soigneusement astiqué jusqu'aux deux battants d'une porte imposante ; il les poussa d'un geste large, et les rayons du soleil déclinant qui ruisselaient à travers de hautes fenêtres frappèrent Sophie et Sam en plein visage, les aveuglant presque. Ils distinguèrent à contre-jour la silhouette de Reboul, de dos, un portable à l'oreille.

— Il ne sait pas que nous sommes ici, chuchota Sophie en donnant un coup de coude à Sam.

— Bien sûr que si, rétorqua Sam. Il veut juste nous montrer combien il est occupé. Ça se pratique beaucoup à L.A.

Il acheva sa phrase en se retournant pour refermer bruyamment la double porte. Le bruit parut suffisant pour attirer l'attention de la silhouette, car Reboul, toujours à contre-jour, posa son portable et s'approcha d'eux.

Petit, mince, impeccable, son épaisse chevelure blanche magnifiquement coupée en brosse, il portait une chemise d'un bleu extrêmement pâle, une cravate sur laquelle Sam, toujours sensible à ces signaux secrets, reconnut aussitôt les couleurs du Guards Club de Londres, ainsi qu'un costume de soie bleu foncé. Son visage avait la couleur du teck bien huilé et, à la vue de Sophie, ses grands yeux bruns brillèrent d'un éclat plus vif encore.

— Bienvenue, madame, dit-il en s'inclinant pour lui baiser la main... et admirer son décolleté avant de se tourner vers Sam. Et vous êtes monsieur...

— Levitt. Sam Levitt. Enchanté de faire votre connaissance. Merci infiniment de nous recevoir, fit Sam en serrant la main de Reboul et en lui tendant sa carte de visite.

— Ah! Vous préféreriez peut-être que nous parlions anglais, proposa Reboul.

— C'est bien aimable à vous, remercia Sam. Mon français n'est pas aussi bon qu'il devrait l'être.

— Pas de problème, assura Reboul avec un haussement d'épaules. Aujourd'hui, dans les affaires, tout le monde doit savoir l'anglais. Tous mes employés le parlent. Et bientôt, je suppose, nous devrons apprendre le chinois. (Il regarda la carte de Sam et haussa un sourcil blanc broussailleux.) Un château à Los Angeles ? C'est très chic.

— Bien modeste, rectifia Sam avec un sourire, mais c'est chez moi.

Reboul tendit la main vers la rangée de fenêtres.

— Venez. Laissez-moi vous montrer mon coucher de soleil. On m'assure que c'est le plus beau de Marseille.

« *Son* coucher de soleil », songea Sam. Admirable, cette manie des milliardaires de s'approprier les merveilles de la nature. Il devait reconnaître toutefois que le spectacle était exceptionnel. Le ciel flamboyait : une grande traînée cramoisie frangée de rose et de bleu lavande, la lumière déployant un tapis de reflets d'or à la surface de la mer. Reboul hocha la tête comme pour confirmer que la vue offrait bien l'habituelle splendeur à laquelle il s'attendait.

On distinguait vaguement, à quelques kilomètres du rivage, un groupe de petites îles. Sophie désigna du doigt la plus proche.

— C'est le château d'If, n'est-ce pas ?

— Tout à fait exact, ma chère. Vous n'avez manifestement pas oublié votre Alexandre Dumas. C'est là qu'était emprisonné le comte de Monte-Cristo. Vous savez, bien des visiteurs croient qu'il a vraiment existé, ajouta-t-il avec un petit rire. On reconnaît là le pouvoir d'un bon livre. (Se détournant des fenêtres, il prit le bras de Sophie.) Ce qui me rappelle l'objet de votre visite. Asseyons-nous et vous allez pouvoir m'en parler.

Reboul leur désigna, disposés autour d'une table basse dégoulinante de dorures, des fauteuils et des sofas XIXe siècle. Avant de s'asseoir, il prit son portable et appuya sur une touche : le jeune homme en costume noir qui devait rôder derrière la porte apparut pour déposer un plateau sur la table ; il sortit de son seau à glace une bouteille de champagne qu'il présenta à Reboul afin d'obtenir son approbation avant de l'ouvrir. Le bouchon sortit avec un doux soupir. Le jeune homme emplit leurs coupes puis s'éclipsa.

— J'espère que vous aimez le krug, s'inquiéta Reboul. (En se carrant dans son fauteuil il croisa les jambes, révélant des chevilles nues bien bronzées dans des mocassins de crocodile noir.) Pardonnez-moi cette absence de chaussettes, je les ai en horreur et je n'en porte jamais à la maison. (Il leva sa coupe vers Sophie et sourit.) À la littérature.

Pendant la préparation de leur numéro, Sam et Sophie étaient convenus que les antécédents bordelais de Sophie la désignaient tout naturellement pour le poste de directrice éditoriale chargée de sélectionner les caves qui figureraient dans le livre. Après une goutte de champagne pour humecter sa gorge soudain sèche, elle commença par donner à Reboul un aperçu général du projet, émaillant son exposé des noms de caves éminentes envisagées : les grands restaurants et les grands hôtels du monde et, bien entendu, le palais de l'Élysée. Reboul écoutait avec une attention polie, son regard se détournant parfois du visage de Sophie pour apprécier discrètement ses jambes.

Mais quand elle en arriva à ce qu'elle appelait la partie principale de l'ouvrage, à savoir les plus belles caves privées du monde, l'intérêt de Reboul se manifesta plus nettement : qui, à part lui, serait contacté ? s'informa-t-il. Question que Sophie avait bien évidemment prévue ; aussi, sans la moindre hésitation, se mit-elle à débiter des noms : une poignée d'aristocrates anglais, quelques industriels américains renommés, l'homme le plus riche de Hong Kong, une veuve écossaise qui vivait en recluse dans son château sur un domaine de douze mille hectares au milieu des Highlands, ainsi que deux ou trois des familles parmi les plus connues du Bordelais et de Bourgogne.

Sophie commençait à s'échauffer, Reboul aussi quand elle se penchait vers lui pour souligner un point de son exposé. Les candidats à une place dans le livre, expliquait-elle, devaient satisfaire à trois exigences : d'abord, avoir assez de goût et d'argent pour réunir une collection de vins vraiment remarquable ; deuxièmement, être intéressants pour des raisons autres que leur amour du vin, donc, selon les termes mêmes de Sophie, avoir une vie au-delà de leur cave ; et, troisièmement, les caves elles-mêmes devaient, d'une façon ou d'une autre, sortir de l'ordinaire. Pour se faire comprendre elle cita deux exemples : celui du comte anglais qui, au fond de son parc, gardait ses vins dans une énorme folie victorienne avec ascenseur à contrôle du degré d'hygrométrie, et celui de l'Américain qui avait réservé pour abriter sa collection un étage entier de son triplex de Park Avenue. Certes, elle n'avait pas vu les caves du palais du Pharo ; pourtant, assura-t-elle, elle ne les imaginait pas autrement que sortant précisément de l'ordinaire.

— C'est vrai, elles ne sont pas ordinaires, confirma Reboul. Et tellement grandes que M. Vial, mon maître de chais, utilise un Solex pour les parcourir dans toute leur longueur. (Il leva une main et le jeune homme en noir se matérialisa pour remplir leurs coupes.) Votre projet est intéressant et présenté de la plus charmante façon, déclara-t-il en inclinant la tête vers Sophie. Mais parlez-moi un peu de... comment dire?... du côté pratique. Comment prépare-t-on un livre pareil?

Au tour de Sam.

— On fera appel aux meilleurs spécialistes, commença-t-il. On confiera la rédaction du texte à un auteur d'ouvrages sur le vin internationalement respecté (le nom de Hugh Johnson, évidemment, venait aussitôt à l'esprit) et la préface peut-être à Robert Parker; les photographies seront prises par Halliwell ou Duchamps, tous deux unanimement considérés comme des maîtres. La conception du livre sera supervisée par Ettore Pozzuolo, maquettiste de génie et légende de l'édition. En d'autres termes, on ne regardera pas à la dépense. Ce sera tout simplement une bible pour les amoureux du vin. (Sam se reprit :) Ce sera *la* bible des amoureux du vin, et il y en a des millions à travers le monde.

Naturellement, précisa Sam, Reboul aurait à approuver le texte et les photographies qu'on retiendrait, Mme Costes assurant la liaison entre l'auteur, le photographe et le palais du Pharo. Elle serait à tout moment disponible pour une consultation.

Reboul, tout en réfléchissant, tirait sur le lobe d'une oreille boucanée. Il se rendait compte qu'on le flattait, mais cela ne le gênait jamais. L'idée n'était pas mauvaise, songea-t-il, pas mauvaise du tout. Le genre de livre que lui-même trouverait intéressant. Dès l'instant que le contrat spécifiait son droit d'approuver le contenu le concernant, cela excluait d'éventuelles surprises embarrassantes lors de la publication. Ce serait un autre testament de sa réussite : le magnat des affaires au palais d'or. Attrait supplémentaire – et pas le moindre – de l'opération : la perspective de nombreuses réunions éditoriales en tête à tête avec la ravissante Mme Costes qui fixait sur lui un regard plein d'espoir.

Sa décision était prise.

— Très bien, je suis d'accord. Pas pour des raisons de publicité personnelle, bien entendu, mais parce que je recherche toujours les occasions de mettre en avant la France et tout ce qui est français. Une manie chez moi : je dois être un patriote à l'ancienne mode. (Il marqua un temps pour les laisser s'imprégner de ces nobles sentiments, avant de poursuivre :) Maintenant, comme vous l'a dit ma secrétaire, je pars de bonne heure demain matin passer quelques jours en Corse. Mais, à ce stade, vous n'avez pas besoin de moi : c'est M. Vial, responsable de ma cave depuis près de trente ans, que vous devez rencontrer ; je me dis parfois qu'il connaît personnellement chaque bouteille de ma cave – qui en abrite plusieurs milliers. Personne n'est mieux placé que lui pour vous organiser une visite guidée. (Reboul hocha la tête et répéta.) Oui, Vial est l'homme que vous devez voir.

Plus il avançait dans son discours, plus l'expression de Sophie se précisait, passant de l'espoir au ravissement.

— Merci, dit-elle en se penchant pour poser sa main sur le bras de Reboul. Vous ne le regretterez pas, je vous le promets.

Reboul lui tapota la main.

— J'en suis convaincu, ma chère. (Il regarda le jeune homme en noir toujours dans les parages.) Dominique va prendre toutes les dispositions pour que vous rencontriez Vial dès demain. Et maintenant, si vous voulez bien m'excuser, j'ai un autre rendez-vous. Dominique va vous raccompagner à votre hôtel.

En sortant, ils croisèrent le rendez-vous suivant de Reboul, une femme grande et mince portant de grosses lunettes de soleil bien sombres – au cas où, comme par magie, le soleil referait une apparition – et laissant sur son passage une bouffée de parfum capiteux.

— *Shalimar*, renifla Sophie qui ajouta, désapprobatrice : et elle s'en est pratiquement aspergée.

Sur le perron, pendant qu'ils attendaient la voiture, Sam passa un bras autour des épaules de Sophie et la serra affectueusement.

— Vous avez été sensationnelle, la félicita-t-il. J'ai cru un moment que vous alliez vous asseoir sur ses genoux.

— Je pense qu'il l'a cru aussi, fit Sophie en riant. C'est vraiment un homme à femmes. (Elle fronça les lèvres.) Un peu petit, hélas !

— Ce n'est pas un problème, croyez-moi. S'il se juchait sur son portefeuille, il serait plus grand que nous deux réunis.

Une longue Peugeot noire soigneusement astiquée s'arrêta au bas des marches et Dominique en descendit précipitamment pour ouvrir les portières arrière.

— Juste en bas de la route, je vous prie, dit Sam. Au Sofitel.

La voiture stoppa au bout de l'allée, près de la statue de l'impératrice Eugénie. Dominique abaissa sa vitre, tendit une main et pressa un bouton dissimulé dans un pli de la tunique de marbre d'Eugénie. Les grilles électriques s'ouvrirent. Après avoir murmuré un « Merci, madame », Dominique s'engagea sur le boulevard et, quelques minutes plus tard, ils avaient regagné leur hôtel.

— Je ne sais pas ce que vous en pensez, dit Sam à Sophie tandis que la voiture s'éloignait, mais je crois que nous avons mérité un autre verre. Je cours au bar.

Ils traversaient le hall quand une grande silhouette échevelée se précipita à leur rencontre, les sourcils levés d'un air interrogateur, les épaules tendues, les mains grandes ouvertes. Un véritable sémaphore humain, tout juste sorti du Salon de l'érotisme.

— Alors ? Alors ? Comment ça s'est passé ?

Sam leva les deux pouces.

— Sophie a été fantastique. Nous avons rendez-vous pour visiter la cave demain matin. Et vous ? L'après-midi a-t-il été érotique ?

Le grand gaillard sourit.

— Vous seriez stupéfaits. Plein de nouveautés – vous devriez voir ce qu'on arrive à faire aujourd'hui avec du latex. Par exemple...

— Philippe! Ça suffit, le coupa Sophie en secouant vigoureusement la tête.

En buvant un verre, ils mirent Philippe au courant. Un début prometteur, ils en convinrent tous, mais demain serait le jour clé et ils avaient du pain sur la planche. D'après la description de Reboul, sa cave était gigantesque : ils auraient donc à chercher cinq cents malheureuses bouteilles parmi des milliers. Longue journée en perspective.

Sam termina son verre et se leva.

— Il faut que je donne quelques coups de téléphone parce qu'à L.A. on doit vouloir savoir ce qui se passe, et mieux vaut les appeler avant le déjeuner. Mais je suis sûr que vous avez tous les deux un tas de cancans familiaux à vous raconter.

Philippe semblait déçu.

— Vous ne voulez pas que je vous parle du Salon de l'érotisme ?

— J'en meurs d'envie, affirma Sam. Mais pas ce soir.

Il était onze heures du matin à Los Angeles et Elena Morales commençait à être persuadée que sa place se trouvait dans la rubrique « Déchets humains » des pages jaunes. Les appels de Danny Roth – tantôt sournois, tantôt injurieux voire menaçants – la déprimaient à un point tel qu'elle songeait fréquemment au moyen de le faire disparaître.

S'ajoutait à cela son irritation devant le silence prolongé de Sam qui ne lui permettait pas de savoir si l'affaire progressait ou non en France. Aussi, lorsque sa secrétaire annonça qu'elle avait Mr Levitt en ligne, était-elle prête à lui arracher la tête.

— Oui, Sam, qu'y a-t-il? lâcha-t-elle d'un ton plus que glacial.

— Parmi tout ce que j'adore chez toi, répondit Sam, il y a le ton que tu prends au téléphone. Maintenant, écoute-moi.

Il lui fallut cinq minutes pour raconter tous les événements qui avaient abouti à la rencontre avec Reboul et à la visite de sa cave prévue pour le lendemain. Elena le laissa terminer, puis parla à son tour.

— Alors, ton copain du milieu, Axel Schroeder, t'a laissé entendre que Roth avait lui-même organisé le cambriolage?

— Exactement.

— Mais tu ne l'as pas cru. Et tu ignores si le dénommé Reboul détient le vin?

— C'est vrai.

— Et s'il l'a, comment comptes-tu le prouver?

— Je travaille là-dessus. (Silence à l'autre bout du fil.) Elena, tu ne me sembles guère enthousiaste.

— J'ai demandé au bureau de Paris de m'envoyer le CV de Sophie Costes.

— Et?

— Il comporte une photo... qui ne ressemble pas précisément à ta description. (Sam sentait le courant glacé traverser les ondes.) Bonne nuit, Sam.

Elle raccrocha sans lui laisser l'occasion de répondre.

15.

Sam se réveilla de bonne heure, encore contrarié par la conversation téléphonique de la veille au soir. Il aurait dû rappeler Elena, lui expliquer. Et puis, non, qu'elle aille au diable. Si elle voulait tirer des conclusions hâtives, qu'elle le fasse. Il arpentait la chambre avec une impression de déjà-vu – au bon vieux temps, leurs disputes commençaient souvent ainsi. Elle exprimait des soupçons, il s'entêtait. Bref, une relation tumultueuse mais aussi – il faut le dire – des réconciliations spectaculaires. Il chassa ces souvenirs d'un haussement d'épaules et se mit à consulter le dossier Reboul que Philippe lui avait confié.

Malgré son français approximatif il parvint, en se plongeant dans les articles, à en retenir l'essentiel. Le thème récurrent – quel que fût le rôle que jouait Reboul, magnat de la presse ou pirate de la Méditerranée – portait sur la grandeur de la France et de tout ce qui était français : culture, langue, cuisine, vins, châteaux, haute couture, femmes, footballeurs, etc. Jusqu'au TGV, même si Reboul reconnaissait ne l'avoir jamais emprunté. Tout faisait l'objet de compliments chaleureux. Et, on ne sait comment, il donnait l'impression d'avoir tenu un rôle déterminant dans la création de tout cela.

Le seul point sur lequel Reboul était prêt à admettre que la France n'était peut-être pas tout à fait un paradis terrestre concernait les fonctionnaires, cette armée grisâtre de bureaucrates qui infeste tous les domaines de la vie française, et pour lesquels il n'éprouvait que mépris. Chaque printemps, il enfourchait publiquement ce dada lors de la conférence de presse qu'il donnait au sujet de son impôt sur le revenu pour célébrer ce qu'il appelait la fête du fisc, ou le festival des contribuables. Non content de révéler le montant de l'impôt qu'il payait, il le traduisait en équivalent de salaires de fonctionnaires. Cela lui fournissait le point de départ approprié pour fulminer, année après année, sur la fainéantise, l'incompétence et le gaspillage de la bureaucratie, ce qui ne manquait pas de faire les délices de la presse populaire. Mais c'était ainsi : seule cette tache souillait le paysage, à cette exception près parfait, de la France.

Reboul était lui aussi une exception parmi les milliardaires. La plupart préféraient naviguer entre les havres de Nassau, Genève et Monaco, à l'affût du moindre changement de fiscalité. Sam ne pouvait se défendre d'une certaine sympathie à l'égard d'un homme prêt à payer le prix pour vivre dans un pays qu'il chérissait si manifestement. Il referma le dossier avec un hochement de tête approbateur et descendit retrouver Sophie dans le hall.

Florian Vial les attendait devant l'entrée principale du palais du Pharo. S'ils n'avaient pas su qu'il était le responsable de la cave de Reboul, ils l'auraient pris pour un professeur, voire pour un poète né sous une bonne étoile. Malgré la douce température printanière, Vial portait, pour affronter la fraîcheur des caves, un costume coupé dans un épais velours vert bouteille ; une longue écharpe noire s'enroulait plusieurs fois autour de son cou, à la française ; un coin de chemise prune pointait sous sa veste. Ses cheveux, longs et brossés en arrière, avaient les mêmes tons poivre et sel que sa barbe impeccablement taillée en triangle. Des yeux d'un bleu pâle les regardaient derrière des lunettes rondes sans monture. Il ne lui manquait qu'un grand feutre et une cape pour ressembler au personnage de Toulouse-Lautrec, le mondain allant rendre visite à sa maîtresse.

Il s'inclina pour baiser la main de Sophie, lui effleurant les doigts de sa moustache.

— Enchanté, madame. Enchanté. (Puis il se tourna vers Sam et lui serra la main d'une poigne vigoureuse.) Très heureux, monsieur, dit-il, avant de reculer en levant les bras au ciel. Pardonnez-moi, j'oubliais : M. Reboul m'a signalé que vous étiez plus à l'aise en anglais. Ce n'est pas un problème pour moi : je le parle couramment. (Le regard pétillant, il leur adressa un grand sourire.) Nous commençons ?

Précédés de Vial, Sophie et Sam traversèrent une enfilade de pièces à la décoration un peu chargée – des salons, expliqua Vial – pour arriver dans une vaste cuisine. Contrairement aux salons qui avaient conservé leur décor plutôt pompeux de lustres, dorures, glands et pompons, la cuisine était d'un modernisme total : acier inoxydable, granit poli et éclairage encastré. Seul vestige des traditions culinaires d'autrefois, la longue barre en fer forgé fixée en haut d'un mur à laquelle étaient accrochées une quarantaine de casseroles en cuivre soigneusement astiquées. Vial désigna l'énorme cuisinière – une La Cornue qui comptait assez de brûleurs, de plaques chauffantes et de fours pour préparer un banquet – et déclara avec une satisfaction non dissimulée :

— Le chef du Petit Nice, Passédat, qui est un ami du patron, vient souvent ici. Il serait capable de tuer pour disposer d'une cuisine pareille.

Ils traversèrent ensuite une seconde cuisine, moins impressionnante, où s'alignaient des placards, des congélateurs et des lave-vaisselle. Dans un coin, deux portes. Vial ouvrit la plus grande et se retourna pour les prévenir :

— Attention ! L'escalier est très étroit.

L'escalier, non seulement étroit mais raide, dessinait une spirale serrée qui s'interrompait devant une porte métallique peinte en vert. Vial pressa un certain nombre de chiffres sur le clavier électronique inséré dans le mur et ouvrit la porte. Il alluma la lumière et s'écarta pour guetter avec un sourire l'expression de ses hôtes – un moment que, de toute évidence, il savourait.

Sophie et Sam restèrent pétrifiés sur le seuil, abasourdis. Sur quelque deux cents mètres s'étendait un large passage pavé qui descendait de façon à peine perceptible. Le plafond était constitué d'une succession d'élégantes hautes voûtes de brique que le temps avait teintées d'un rose pâle poussiéreux. De chaque côté, leur entrée marquée par des colonnes de brique à hauteur d'homme, s'ouvraient des passages plus étroits. À gauche de la porte, appuyée contre un tonneau, le deux-roues de Vial, un vieux Solex. L'air sentait comme il se doit dans une cave : un peu d'humidité, des relents de moisi.

Vial fut le premier à rompre le silence.

— Alors ? Qu'en pensez-vous ? Cela vous conviendra pour votre livre ?

Il souriait en caressant sa moustache du bout de l'index, l'image même de qui sait qu'on va le complimenter.

— Très, très impressionnant, déclara Sophie. Même à Bordeaux, il n'y a pas de cave aussi grande, pas chez un particulier en tout cas. C'est magnifique, Sam, vous ne pensez pas ?

— Parfait, acquiesça Sam. Formidable pour le livre. (Il se tourna vers Vial en souriant.) Le seul problème est que, sans plan, on doit se perdre.

Vial exultait.

— Mais j'ai un plan ! Eh oui ! Quand vous passerez à mon bureau, je vous montrerai comment vous repérer. (Ils s'engagèrent dans l'allée pavée, Vial s'installant dans son rôle de guide.) Ici vous trouverez partout des rues, comme dans une ville. En fait, là, nous sommes dans la grand-rue. (Il désigna une petite plaque d'émail bleu et blanc fixée à hauteur des yeux sur la première colonne qu'ils rencontrèrent; elle était marquée « boulevard du Palais ».) Et de chaque côté il y a d'autres rues, petites ou grandes. (Il s'arrêta et leva un doigt.) Le nom de chacune indique qui habite là. (Il agita le doigt.) Je parle de bouteilles, naturellement.

Il leur fit signe de s'engager dans un des passages. Un autre panneau bleu et blanc annonçait la rue de Champagne.

Et, du champagne, il y en avait à perte de vue dans les casiers bordant de chaque côté l'étroite allée de gravier : krug, roederer, bollinger, perrier-jouët, veuve-clicquot, dom-pérignon, taittinger, ruinart – en bouteilles, en magnums, en jéroboams, en réhoboams, en mathusalems et même en nabuchodonosors. Vial contempla cet alignement avec la tendresse d'un père en adoration avant de les faire revenir sur leurs pas et descendre la rue suivante, la rue de Meursault, puis – en rapide succession – celles de Montrachet, de Corton-Charlemagne, l'avenue de Chablis, l'allée de Pouilly-Fuissé, l'impasse d'Yquem... Ce côté du boulevard principal, expliqua Vial, était consacré aux vins blancs, l'autre aux rouges.

Parcourir la cave dans toute sa longueur leur prit près d'une heure, avec des arrêts pour rendre hommage à tel ou tel : par exemple aux grands bourgognes dans la rue de la Côte-d'Or, au légendaire trio de latour, lafite et margaux dans la rue des Merveilles... Quand ils arrivèrent au bureau de Vial, ils se sentaient un peu étourdis, comme s'ils avaient dégusté et pas simplement regardé.

— Laissez-moi vous poser une question, dit Sam. Je n'ai pas vu de rue de Chianti. Vous n'avez pas de vins italiens ?

Vial le regarda comme s'il venait d'insulter sa mère. Il secoua la tête et fit claquer sa langue, longuement, jusqu'à ce qu'il fût suffisamment remis du choc pour être capable de parler :

— Non, non, non, absolument pas. Chaque bouteille ici est française, M. Reboul insiste bien là-dessus. Uniquement ce qu'il y a de mieux. Quoique..., reprit Vial d'un ton hésitant, entre nous – pas pour le livre, hein –, vous verrez là-bas quelques caisses de votre vin de Californie. M. Reboul possède une *winery,* comme vous dites, un établissement vinicole dans la vallée de Napa. Pour s'amuser. Comme passe-temps.

Et, à en juger par l'expression de Vial, un passe-temps auquel il voyait sans grand enthousiasme s'adonner son patron.

Tout au fond de la cave, un chariot de golf très patriotique, peint en bleu, blanc, rouge, était garé dans un coin à côté d'une énorme porte à deux battants ; elles s'ouvrirent sur la pression d'un bouton, révélant la longue allée qui, passant au pied de la mélancolique statue d'Eugénie, menait aux grilles de la propriété.

— Vous voyez ? fit Vial. La cave est creusée sous la grande pelouse devant la maison. (Il désigna de la tête la partie pavée de l'autre côté des portes.) La zone des livraisons : les camions déchargent ici, devant mon chariot de golf, et je conduis les bouteilles à leur adresse.

Sophie contempla le chariot de golf d'un air perplexe.

— Mais, monsieur Vial, quand vous êtes prêt à boire le vin, comment l'apportez-vous dans la maison? Sûrement pas par l'escalier? Ou bien amenez-vous le chariot en passant par...

— Aha! dit Vial en se tapotant le nez. On peut toujours compter sur une femme pour repérer l'aspect pratique. Je vous montrerai avant de partir. Maintenant, venez admirer mon repaire.

Il était manifeste que Vial pensait qu'il jouerait dans le livre un second rôle important, aussi tenait-il à exhiber les nombreux objets intéressants qui encombraient son bureau. Un tire-bouchon colossal, qui mesurait facilement un mètre de long, avec un manche taillé dans une souche d'olivier soigneusement astiquée, appuyé au mur à côté de son bureau; un bureau de connaisseur, précisa Vial. À part le plateau de verre, il était entièrement fabriqué à partir de caisses en bois des grands domaines, chaque caisse utilisée comme tiroir, chacun portant le nom et le poinçon d'un château illustre imprimés dans le bois. Les discrètes poignées de tiroir étaient des bondes de bois circulaires teintées pour ressembler à du liège.

Sam sortit son appareil photo.

— Je peux? Juste comme référence.

— Mais bien sûr!

Vial se déplaça pour être sur la photo, posa une main sur le plateau du bureau, leva la tête et prit un air altier : l'éminent caviste, surpris en pleine réflexion.

— Vous avez déjà fait cela, dit Sam en souriant.

Vial lissa sa moustache et prit une autre pose, perché cette fois sur le bord du bureau, les bras croisés.

— Pour les photographes de revues de vin, oui. Ils aiment bien ce qu'ils appellent l'aspect humain.

Pendant que Sam le mitraillait, Sophie examina les autres exemples de « l'aspect humain » qui couvraient presque tout un mur : des photos de Vial avec des vedettes de cinéma, des footballeurs, des grands couturiers, des mannequins et autres distingués visiteurs. Elles partageaient la surface du mur avec des diplômes de la Jurande de Saint-Émilion et des Chevaliers du Tastevin, ainsi que, à un emplacement bien en vue, une lettre de remerciements et de compliments signée du président de la République en personne. Tout comme son patron, Reboul, il semblait que Vial n'était pas hostile à un peu d'auto-promotion.

S'éloignant de la galerie de portraits, Sophie s'arrêta devant une longue étagère qui accueillait des alcools anciens : des bouteilles encore bouchées des années 1800 aux étiquettes maculées et passées, au contenu trouble et mystérieux. L'une attira son regard : un bordeaux blanc, un gradignan 1896, où le reste de liquide reposait sur une couche de dépôt de dix centimètres. Vial s'arracha à l'objectif et entraîna Sam vers Sophie.

— Mon coin sentimental, expliqua-t-il. J'ai découvert ces bouteilles dans des marchés aux puces et je n'ai pas pu résister. Imbuvables, naturellement, mais très pittoresques, n'est-ce pas ?

— Fascinant, observa Sophie. Cela aussi ? ajouta-t-elle en montrant un petit alambic en cuivre. Regardez, Sam. Vous en avez, en Californie ?

— Seulement pour la décoration, répondit Sam en secouant la tête. Celui-là fonctionne encore ?

Vial fit semblant d'être choqué à cette idée.

— Ai-je l'air d'un délinquant, monsieur ? C'est depuis... voyons... 1916 qu'on n'autorise plus les particuliers à distiller de l'alcool, le *moonshine* comme vous dites. (Il se permit un petit clin d'œil et un sourire satisfait à l'idée d'avoir trouvé le terme anglais qui convenait.) Et maintenant, laissez-moi vous montrer comment cheminer dans ma petite ville.

Reculant d'un pas, il désigna, encadré d'une simple baguette dorée, le plan accroché au mur derrière son bureau.

Haut d'une quarantaine de centimètres sur quelque dix de large, celui-ci représentait une vue aérienne de la cave avec les noms des rues soigneusement calligraphiés et, tout autour, d'amusants tire-bouchons miniatures tous agrémentés d'un manche différent : fantaisistes pour certains – un cœur, un chien, un drapeau français, un bec d'oiseau –, la version artistique de modèles plus conventionnels pour d'autres. Le plan, signé dans un angle, portait une date en chiffres romains.

— Superbe, apprécia Sam. Cela ferait de magnifiques pages de garde.

Sophie, qui n'avait aucune idée de ce dont il parlait, acquiesça gravement.

— Excellente idée.

Sam expliqua à Vial étonné ce qu'il voulait dire.

— Votre plan, avec tous ces noms et ces tire-bouchons, conviendrait tout à fait pour un ouvrage sur le vin, dit-il. Vous n'en auriez pas d'autres exemplaires, par hasard ?

Avec un nouveau clin d'œil, Vial se précipita sur son bureau, ouvrit un des tiroirs du bas et en tira un rouleau qu'il déploya sur le plateau.

— Ces tirages ont été imprimés avant que nous encadrions l'original. Nous les offrons en souvenir aux amis de M. Reboul qui viennent pour des dégustations. Charmant, non ? fit-il en roulant le plan pour le remettre à Sophie. (Mais Vial coupa court à leurs remerciements en jetant un coup d'œil à sa montre et en faisant la grimace.) Peuchère ! Je n'ai pas vu le temps passer. J'ai un rendez-vous. (Il les entraîna dans la cave.) Il faudra que vous reveniez après le déjeuner. (Il grimpa sur son chariot de golf en faisant signe à Sophie et à Sam de le rejoindre.) Imaginez que vous êtes une caisse de vin, dit-il à Sam, et que, ce soir, vous allez vivre votre moment de gloire, le soir où vous allez sidérer les invités de M. Reboul, le soir où vous allez leur arracher des cris d'extase.

Il démarra et le chariot remonta le boulevard du Palais.

— C'est amusant, dit Sam. Je suis une caisse de rouge ou une caisse de blanc ?

— L'une ou l'autre, répondit Vial, ou les deux. Vous vous demandiez comment monter jusqu'à la salle à manger. (Arrivé à l'extrémité du boulevard, il gara le chariot devant la porte de la cave.) Comme vous voyez, dit-il en descendant, il y a une autre porte juste ici. (Bien plus petite, elle avait été aménagée dans le mur. Avec l'expression du prestidigitateur qui vient de découvrir non pas un mais deux lapins blancs dans son chapeau, il l'ouvrit et s'effaça.) Voilà ! L'ascenseur pour les bouteilles : il dessert l'arrière-cuisine. Aucune turbulence. Pas de vertige en grimpant l'escalier. Le vin arrive calme, détendu, prêt à affronter son destin.

— Ce que nous appelons un *dumbwaiter*, et vous un monte-plats, résuma Sam.

— Parfaitement, dit Vial, ajoutant mentalement un nouveau terme technique à son vocabulaire anglais. Un *dumbwaiter*. (Il regarda de nouveau sa montre et sursauta.) Voulez-vous que nous disions trois heures ? Je vous attendrai à la porte des livraisons. Et, pour le déjeuner, j'ai une bonne adresse à vous suggérer sur le Vieux-Port.

Sophie et Sam échangèrent un coup d'œil.

— Typiquement marseillaise ? demanda Sophie.

— Mais non, chère madame. Un bar à sushis.

16.

Ils décidèrent de renoncer aux sushis (bar sombre, bondé et situé dans une rue sans intérêt) pour un sandwich pris à la terrasse ensoleillée de la Samaritaine, de l'autre côté du port. Quand arrivèrent la carafe de rosé et leurs deux saumons fumés beurre, ils commençaient à récupérer de leur fraîche matinée souterraine parmi les bouteilles.

La visite avait été intéressante. Sophie, conservatrice et d'éducation bordelaise, avait beau trouver le numéro de Vial un peu forcé, il n'en demeurait pas moins que ce dernier régnait sur une cave superbe, magnifiquement organisée et dépourvue de toiles d'araignée. De plus, il était extrêmement serviable. Peut-être même un peu trop, à la réflexion. Comme ces serveurs trop empressés, à aucun moment il ne les avait laissés tranquilles, ne cessant jamais de se tenir derrière eux en s'extasiant sur tel cru ou tel millésime. Cela leur posait un problème qu'ils allaient devoir résoudre. Identifier cinq cents bouteilles de vin parmi plusieurs milliers nécessiterait des heures et beaucoup de concentration. Un après-midi suffirait peut-être, le plan les guiderait. Malgré tout, ce ne serait pas facile et l'omniprésence de Vial n'arrangerait pas les choses.

Sam servit le vin dont la robe, d'une couleur plus soutenue que celle des vins pâles qu'on aimait à L.A., était assortie au rose du saumon fumé des sandwiches. Il leva son verre au soleil, prit une gorgée et la garda un instant en bouche. Un vrai goût d'été. Après une matinée passée à frayer avec l'aristocratie du vin, cette boisson simple, humble, et cependant agréable, lui apporta un changement rafraîchissant. Pas de long pedigree, pas de millésime historique, pas de complications et pas d'étiquette affichant un prix extravagant. Aussi Sam ne s'étonnait plus que ce fût la boisson favorite en Provence.

— Je me demande si nous ne devrions pas nous séparer cet après-midi. L'un se consacrerait au côté des blancs, l'autre à celui des rouges. Qu'en pensez-vous ?

Sophie réfléchit un moment puis acquiesça.

— Laissez-moi prendre les blancs.

— Bien sûr. Vous avez une raison particulière ?

— La plupart des vins que vous recherchez sont des rouges. Vous ne tenez pas à ce que Vial vous regarde en train de prendre des notes ou de faire des photos. Et puis, étant bordelaise, je m'y connais en rouges. En revanche, pas tellement en champagnes et en bourgognes. Il apparaîtra donc normal que je demande des explications à Vial. Or il adore parler, étaler ses connaissances. Vous l'avez vu ce matin. Je suis sûre qu'avec ça d'encouragement – elle brandit un pouce et un index écartés d'un millimètre – il me fera un cours tout l'après-midi. Faites-moi confiance.

Souriant, elle regarda Sam par-dessus le bord de son verre.

— Tout cela vous amuse, n'est-ce pas ?

— Dans une certaine mesure, beaucoup. Bien plus que les assurances. Ça ressemble à un jeu. (Elle haussa les épaules.) Pourtant je ne suis pas sûre de désirer que nous gagnions. Vous comprenez ce que je veux dire ?

Sam comprenait très bien : à deux ou trois reprises dans le passé, il avait été mêlé à des affaires où, pour une raison ou pour une autre, sa sympathie allait au criminel.

— Oui, je vois ce que vous voulez dire. Reboul et Vial m'ont l'air de braves types. (Il sourit.) Il est vrai que de braves types peuvent être des escrocs. Par exemple, moi, j'en étais un.

Sophie enregistra cet aveu sans plus de surprise qu'elle n'en aurait manifesté si Sam venait de lui apprendre qu'il avait jadis été footballeur professionnel. Après tout, il était américain ; tout était possible.

— Cela vous manque... de ne plus être escroc ?

— Quelquefois. (Sam se renversa dans son fauteuil et observa un vieil homme qui traversait posément la rue en menaçant les voitures de sa canne.) Quand vous êtes sur un coup, vous avez vraiment conscience d'être vivant. Intensément vivant. À cause, je crois, du risque et de l'adrénaline. Et puis j'aimais bien les préparatifs : monter ensemble une affaire bien au point, organisée à la seconde près, et exécutée dans les règles. Pas d'arme, pas de violence, pas de blessé.

— Sauf la pauvre compagnie d'assurances.

— Oui, en effet. Montrez-moi une compagnie d'assurances pauvre et je prouverai que le père Noël existe et qu'il mène une vie très agréable en Floride. Mais je comprends ce que vous entendez par là. Il y a toujours une victime.

Il pensa à Danny Roth mais sans parvenir à éprouver ne fût-ce qu'un frémissement de pitié.

Sophie appela Philippe pour le tenir au courant, puis ils vidèrent tranquillement la carafe avant de boire un café à réveiller les morts. Il était l'heure de retourner au palais du Pharo. L'heure de vérité était venue : à la fin de l'après-midi, ils sauraient s'ils avaient perdu leur temps ou s'ils étaient sur le point de résoudre une classique affaire de crime à distance, de cambriolage sans frontières. Non seulement bien conçue, mais délicieusement démodée : un retour à des temps plus simples, avant l'ère des vols commis en recourant aux merveilles de l'électronique ou aux talents pervers des avocats. Tandis que, en plein soleil, ils attendaient un taxi, Sam fit l'inventaire de ses poches : plan, appareil photo, pile de rechange, carnet et liste des vins volés. Trois heures moins cinq. Ils étaient parés.

— Comment étaient les sushis ? (Vial n'attendit même pas la réponse pour les pousser dans son bureau.) Je me suis ménagé un après-midi entier de liberté. Je suis donc tout à vous.

Il pencha la tête de côté comme s'il attendait leur réaction et Sophie sauta sur l'occasion.

– Il y a tellement à voir, dit-elle, tellement, que nous avons pensé que le mieux serait de nous consacrer chacun à une moitié de la cave. J'ai choisi les blancs, mais à une condition. (Elle dévisagea longuement Vial et Sam crut un moment qu'elle allait vraiment battre des cils.) Comme je suis de Bordeaux, je m'y retrouve assez bien dans les grands rouges. En revanche, les grands champagnes, les grands vins de Bourgogne et les sauternes – même si je les connais de nom, bien sûr – représentent, comment dirais-je, une lacune dans mon éducation. Alors, j'espérais que vous voudriez bien...

Elle ne termina pas sa phrase, les yeux fixés sur Vial qui, instinctivement, redressa les épaules et porta une main à ses lèvres pour lisser sa moustache.

– Ma chère madame, rien ne saurait me donner un plus grand plaisir que de partager les quelques bribes de mon savoir avec une fervente amoureuse du vin. (Il se dirigea vers la porte du pas de l'homme investi d'une mission.) Je propose que nous commencions par le champagne et que nous terminions avec l'yquem, comme on le ferait dans un dîner civilisé. (Sam repéra là la ritournelle que Vial devait servir dans ses visites guidées. Ils franchissaient le seuil quand ce dernier s'arrêta soudain et se tourna vers lui.) Mais j'oublie mon autre hôte. Vous n'allez pas vous sentir esseulé ? Vous n'allez pas vous perdre ? Vous êtes sûr ?

– J'ai votre excellent plan, j'aurai d'assez bonnes bouteilles pour me tenir compagnie et cela ne me dérange pas de travailler seul. Ne vous inquiétez pas, ça ira très bien.

Vial se garda bien d'insister.

— Bon. Maintenant, chère madame, si vous voulez bien me suivre, nous allons tout de suite plonger dans le champagne. Vous devez savoir, j'en suis sûr, que le champagne a été inventé par le moine dom Pérignon, qui disait lorsqu'il dégustait sa divine invention : « Je bois des étoiles. » On ne saurait en donner une meilleure description. Il a vécu jusqu'à un âge avancé – soixante-dix-sept ans, je crois –, ce qui témoigne des qualités médicinales de ce vin. On connaît moins les relations inhabituelles que le bon moine entretenait avec une des religieuses du couvent voisin...

Il entraînait Sophie, sa voix montant et descendant au gré de leurs pérégrinations, mais sans jamais s'arrêter. Elle ne s'était pas trompée : Vial adorait parler et il adorait tout autant qu'un joli public l'écoute.

Au bout du compte, les recherches de Sam s'avérèrent bien moins longues et difficiles qu'il ne l'avait prévu. Le plan de la cave, qui lui était d'une aide précieuse, le conduisit tout d'abord rue des Merveilles : lafite 53, latour 61, margaux 83. Tous ces millésimes étaient présents en quantités impressionnantes, leur année inscrite à la craie sur la petite ardoise qui identifiait chaque bouteille ou chaque casier. Vial était tout à fait hors de portée : Sam entendait à peine sa voix au loin. Il prit une bouteille de lafite et la posa avec précaution sur le gravier du sol, l'étiquette sur le dessus. Il s'accroupit pour la photographier, s'assurant que et le nom et la date étaient lisibles sur le cliché, puis remit la bouteille à sa place. Il fit de même pour le latour et ensuite pour le margaux. Jusqu'ici, tout allait bien.

Il consulta le plan, cherchant la rue Saint-Émilion. Il la trouva à côté de la rue Pomerol, ce qui reflétait la géographie des vignobles. Il y avait beaucoup de figeac 82. À vrai dire, où qu'il porte son regard, il y avait beaucoup de tout, et il se demanda comment un seul homme pourrait parvenir à tout boire avant de s'en aller dans la grande cave du ciel. Peut-être existait-il une trentaine de petits Reboul qui guettaient l'héritage. Sam l'espérait, car l'idée de voir cette magnifique collection dispersée dans des salles des ventes l'emplissait de tristesse.

Il avança jusqu'aux pomerols. Un des casiers du bas était réservé aux magnums de château-pétrus 1970. Il en compta vingt, un chiffre relativement modeste pour Reboul. Prenant un magnum à deux mains, une sur la capsule et l'autre sur le culot, Sam le déposa sur le gravier, admirant au passage le motif de la partie supérieure de l'étiquette : parmi les vrilles de vigne, l'artiste avait niché un portrait de saint Pierre avec sa clé – la clé du paradis – ou, comme d'aucuns aiment à dire, la clé de la cave du château.

Sam prit une photo puis remit le magnum dans son casier, avec un léger regret toutefois mêlé de satisfaction : il avait retrouvé – et il en avait la preuve – tous les rouges de sa liste. À l'exception de l'yquem 75, qui devait se situer à l'opposé.

Il regagna le boulevard central et tenta de calculer où en étaient Sophie et Vial après leur première halte parmi les champagnes. D'après le prolifique discours de Vial, ils se trouvaient encore quelque part dans les coteaux entre corton-charlemagne et chablis. Yquem serait en fin de liste. Il avait donc le temps.

Avec l'impression totalement injustifiée de violer une propriété privée, il traversa jusqu'à l'impasse d'Yquem, à l'extrémité de la cave, juste avant le bureau de Vial.

Comme l'avait découvert Sam en préparant sa visite, on présente souvent le château-d'yquem comme le vin le plus cher du monde. Au cours de sa longue histoire, il a conquis des admirateurs aussi divers que Thomas Jefferson, Napoléon, les tsars de Russie, Staline, Ronald Reagan ou le prince Charles, tous fascinés par sa robe d'un or lumineux et par son goût onctueux et succulent. On n'en produit chaque année qu'à peine quatre-vingt mille bouteilles, c'est-à-dire une gouttelette par rapport à la production annuelle de bordeaux. Et c'est un vin qui se garde bien. Une bouteille du millésime 1784 a été ouverte, dégustée et déclarée parfaite par un groupe d'heureux connaisseurs deux cents ans plus tard.

La collection d'yquems de Reboul constituait peut-être la partie la plus impressionnante de cette cave éblouissante – non par sa taille, puisqu'elle ne comptait pas plus d'une centaine de bouteilles, mais par la gamme de ses millésimes. On y trouvait quelques-unes des grandes années, à commencer par le 1937 pour continuer par le 45, le 49, le 55 et le 67, avant de terminer avec le plus jeune, le 75. Sam choisit une bouteille, la photographia et venait de la remettre avec les autres quand il se figea sur place : la voix de Vial semblait dangereusement proche.

— Le chablis, évidemment, est l'un des vins blancs les plus connus du monde. Mais il y a chablis et chablis.

— Ah bon ? s'étonna Sophie, qui réussit à prononcer ces deux syllabes sur un ton de surprise fascinée.

– Parfaitement. Mais ici, nous avons ce qu'il y a de mieux, les grands crus, les vins qui viennent des coteaux au nord de la ville. Par exemple, ceux-ci, Les Preuses. (Sam percevait le bruit d'une bouteille qu'on glissait hors de son casier.) Dans le verre, ce vin offre la plus ravissante des couleurs, le doré, avec peut-être un délicat soupçon de vert.

La bouteille reprit sa place dans son casier. Retenant son souffle, Sam sortit sur la pointe des pieds de l'impasse d'Yquem et regagna l'autre côté du boulevard et la sécurité des rouges, où Vial et Sophie le découvrirent un quart d'heure plus tard plongé dans les casiers de pomerol, appareil photo dans sa poche et carnet en main.

— Tiens ! s'exclama Vial, voici votre collègue en plein travail. Toujours sur la brèche, hein ? J'espère qu'il a trouvé son bonheur.

— Fabuleux, déclara Sam. Absolument fabuleux. C'est vraiment une collection extraordinaire.

— Mais vous devriez voir les blancs, intervint Sophie. Les bourgognes ! Les yquems ! M. Vial vient de faire mon éducation.

Vial se rengorgeait.

— J'ai hâte de les voir, reconnut Sam, mais j'ai le sentiment que, pour aujourd'hui, nous avons déjà beaucoup trop accaparé M. Vial. Puis-je vous demander une grande faveur ? Pourrons-nous revenir ?

— Naturellement. (Vial fouilla dans sa poche pour en extraire une carte.) Voici mon numéro de portable. Oh, j'allais oublier... M. Reboul m'a téléphoné de Corse pour s'assurer que vous aviez tout ce qu'il vous faut.

Après avoir échangé moult remerciements chaleureux d'un côté, protestations de modestie de l'autre, ils quittèrent la pénombre de la cave pour émerger sous le soleil de fin d'après-midi.

Sam et Sophie ne parlèrent pas beaucoup en regagnant l'hôtel, chacun digérant ce qu'il avait vu au cours des deux heures et demie précédentes.

— Philippe doit nous retrouver ici, annonça Sophie alors qu'ils s'engageaient sur l'allée de l'hôtel. Il a hâte d'entendre ce que nous avons découvert. Il dit qu'on se croirait dans un roman policier.

Sam s'arrêta brusquement.

— A-t-il des contacts avec la police locale ? Des contacts suivis ? Des flics avec lesquels il prend un verre de temps en temps ?

— Sûrement. Tous les journalistes en ont. Tiens, il est déjà là, fit-elle en désignant le scooter noir de son cousin, à demi dissimulé dans les buissons qui bordaient l'allée. Pourquoi me parlez-vous de la police ?

— C'est juste une idée, mais je commence à avoir l'impression que nous allons peut-être avoir besoin d'elle.

17.

Philippe, téléphone à l'oreille, arpentait le hall ; sa main libre s'agitait de haut en bas, de gauche à droite, comme s'il dirigeait un orchestre symphonique invisible. Le clou de sa tenue du jour – provenant bien sûr d'un surplus militaire – était une veste de treillis dont le dos affichait en majuscules peintes au pochoir dans un rouge sang légèrement dégoulinant la mention LA MORT EN MARCHE. Apercevant Sophie et Sam, il coupa sa conversation – un peu brusquement, le portable déjà dans sa poche alors qu'il avait à peine pris le temps de marmonner « Salut ». Sam nota une fois de plus la façon presque brutale qu'ont les Français de mettre un terme à leurs conversations téléphoniques, eux qui, pourtant, n'aiment rien tant que parler. Pour eux, pas d'adieux interminables ; bizarre, pour un peuple aussi loquace.

— Alors ? Alors ? demanda Philippe que la curiosité rendait presque fébrile. (Après un rapide baiser sur les joues de Sophie, il se tourna vers Sam.) Qu'avez-vous trouvé ?

— Un tas de choses, répondit Sam. Je vous expliquerai tout mais il faut d'abord que j'aille chercher des papiers dans ma chambre. Pouvez-vous nous trouver une table au bar ? Je n'en ai pas pour long-temps.

Il les rejoignit cinq minutes plus tard avec une brassée de papiers : ses notes, le dossier Reboul et un petit classeur contenant du matériel apporté de L.A. Il laissa tomber le tout sur la table et posa sur la pile son appareil photo.

Philippe s'était occupé des rafraîchissements.

— D'après Sophie, vous aimez le rosé, dit-il en pre-nant une bouteille de tavel dans un seau à glace pour en remplir leurs verres. Voilà. Domaine de la Mor-dorée. (Formant du bout de ses doigts un bouquet, il y déposa un baiser.) Mais que cela ne vous empêche pas de parler.

— Merci. Entendu. Commençons par les bonnes nouvelles : nous recherchions six vins de millésimes précis, et nous les avons vus. Ils sont tous là et, grâce à Sophie, j'ai pu les photographier, déclara Sam en tapotant son appareil. Mais ne vous excitez pas trop. C'est en effet une bonne nouvelle, mais ce n'est rien de plus qu'un début. Le problème réside dans le fait que, chaque année, on produit plus de cent mille bouteilles de chacun de ces crus, à l'exception d'yquem – dont la production tourne quand même autour de quatre-vingt mille. Les vins de chacun de ces millésimes ne manquent donc pas, et les bou-teilles de Reboul peuvent très bien avoir été achetées de façon tout à fait légitime au long des années. D'accord ? Maintenant, si Vial tient ses comptes aussi bien que la cave, il doit exister des reçus pour chaque bouteille. Mais, nouveau problème : impossible de demander à voir ces reçus sans nous dévoiler. N'oublions surtout pas que Reboul n'a pas fait fortune en agissant de façon stupide. S'il est notre homme, vous pouvez parier qu'il aura dressé toute une paperasserie derrière laquelle se dissimuler, un montage lui permettant d'affirmer qu'il a acheté le vin de bonne foi. Le Liechtenstein, Nassau, Hong Kong, les îles Caïmans : il n'a que l'embarras du choix. Il existe à travers le monde des milliers de ces curieuses petites sociétés capables, moyennant finance, de vous fournir tous les documents nécessaires. Ensuite elles disparaissent, et retrouver leur trace peut prendre des années. Demandez au fisc.

Sam s'interrompit pour goûter son vin.

— C'est donc la fin, soupira Philippe, visiblement déçu. Pas d'article, par conséquent.

— Mais non, reprit Sam qui souriait à présent. Quelque chose me tracassait et j'ai enfin compris quoi. (Il tira une photocopie de la pile de papiers étalés devant lui.) Cet article du *L.A. Times* sur la collection de Roth a été repris par le *Herald Tribune* qui, lui, a une diffusion internationale. Tous les passionnés de vin – y compris notre ami Reboul – ont donc pu le lire. (Il désigna la principale photographie, un peu floue, mais dont on distinguait pourtant certains détails.) Voici Roth. Vous voyez ce qu'il tient ?

Philippe examina le cliché.

— Du pétrus. Un magnum, semble-t-il.

— Exact. Réussissez-vous à lire la date sur l'étiquette ?

— 1970 ? suggéra Philippe après avoir regardé de plus près.

— Exact encore. Elle fait partie des bouteilles volées, et Roth la tient à deux mains comme un trésor ; elle est donc certainement couverte de ses empreintes. Or, il faut savoir que c'est dans les environnements humides que les empreintes digitales se conservent le mieux. Le degré d'humidité dans une cave de professionnel comme celle de Reboul doit être d'environ quatre-vingts pour cent. Dans ces conditions, les empreintes laissées sur le verre peuvent tenir des années. Supposons que nous ayons de la chance et que personne n'ait pensé à essuyer chaque bouteille. Si les empreintes de Roth se trouvent sur certains des magnums de la cave de Reboul, je serai en mesure de soutenir qu'elles constituent la preuve du vol.

Le silence se fit autour de la table, tandis que chacun digérait cette information.

— Sam, il y a autre chose. (Sophie feuilletait le dossier Reboul. Elle en tira une photo qui le montrait posant devant son jet privé.) En regardant toutes ces bouteilles avec Vial, je me suis dit : quoi de plus commode que de disposer de son propre avion si on veut, sans faire appel à des transporteurs, acheminer une grande quantité de vin depuis la Californie jusqu'à Marseille ?

Sam secoua la tête, irrité d'avoir laissé échapper un indice aussi évident.

— Manifestement, et de surcroît les jets privés bénéficient souvent d'un traitement de VIP. Formalités réduites pour sortir des États-Unis, et probablement aucune pour le héros local rentrant à Marseille. (Il regarda Sophie en souriant.) Vous commencez à devenir pas mal du tout. Vous arrivez à lire le numéro d'immatriculation?

Ils scrutèrent tous les trois la photo : au premier plan, Reboul, les bras croisés, l'air sérieux, très professionnel dans son costume sombre, l'image du magnat de l'industrie prêt à dominer le monde; derrière lui, son jet, blanc et élancé, avec GROUPE REBOUL s'étalant en grandes lettres noires le long du fuselage et une version stylisée du drapeau français peinte sur la queue de l'appareil. À dessein ou involontairement, la silhouette de Reboul dissimulait entièrement l'immatriculation de l'avion.

— Cela n'a guère d'importance, minimisa Sam, le nom de la compagnie devrait suffire.

— Suffire à quoi? demanda Philippe, qui avait retrouvé son entrain et, perché au bord de son fauteuil, penché en avant, battait doucement la mesure avec le bout de ses pieds.

— Tout avion utilisant l'espace aérien des États-Unis est tenu de déposer un plan de vol : heure de départ, destination, heure d'arrivée prévue. Le tout enregistré sur ordinateur. Je suis pratiquement sûr que le nom de la compagnie y figurera aussi. (Il regarda sa montre : un peu plus de dix-huit heures à Marseille, neuf heures du matin en Californie.) Je connais quelqu'un là-bas qui devrait pouvoir nous aider. Je vais voir s'il est là. (Sam se leva, cherchant des yeux un coin tranquille pour passer son appel.)

174

Philippe, pendant ce temps, voulez-vous recenser les policiers que vous connaissez à Marseille ? Des flics amis ? Nous allons avoir besoin de l'un d'entre eux.

Le lieutenant Bookman décrocha son téléphone en grommelant – un grognement de mauvaise humeur, un ronchonnement dû à l'excès de café, de travail et au manque de sommeil.

— Tu as une bonne voix, Booky. Comment vas-tu ?

— Ça s'entend, non ? Où diable es-tu ?

— À Marseille. Écoute, Booky, j'ai un grand service à te demander. Enfin, deux grands services.

Soupir résigné de son interlocuteur.

— Et moi qui pensais que tu allais m'inviter à déjeuner. Bon, qu'est-ce que tu veux ?

— D'abord un jeu complet des empreintes de Danny Roth. J'ai peut-être retrouvé son vin, mais j'ai besoin d'une preuve. As-tu sous la main un gars qui pourrait passer à son bureau aujourd'hui ?

— Danny Roth ? Tu plaisantes ? Les volontaires ne se bousculeront pas, mais je vais voir ce que je peux faire. Ensuite ?

— C'est assez délicat : j'ai besoin de savoir si un jet privé appartenant au groupe Reboul a quitté le secteur de Los Angeles entre Noël et le jour de l'An.

— Et ? Type d'appareil ? Immatriculation ? Point de départ ?

— Eh bien, c'est justement le problème. Je ne connais ni l'immatriculation ni l'aéroport d'où il aurait pu décoller. Mais, à mon avis, ce ne doit pas être loin de L.A.

— Formidable. On peut dire que tu me facilites les choses. La dernière fois que je me suis penché sur cette question, j'ai dénombré neuf cent soixante-quatorze aéroports de tailles diverses en Californie. Et tu prétends me faire dire si un jet privé à l'immatriculation inconnue a quitté un de ces neuf cent soixante-quatorze aéroports au cours d'une période de huit jours ? Pendant que tu y es, tu veux aussi le handicap au golf du pilote et le nom de la personne à prévenir en cas d'accident ? Et son groupe sanguin ?

— Booky, tu adores les défis. Tu le sais. Et je suis disposé à t'offrir une compensation. À mon retour, je t'emmène dîner à Yountville, à la French Laundry. Foie gras au torchon, mon ami, côtelettes de chevreuil. Le grand jeu... et n'importe quel vin de la carte : tu choisiras, c'est moi qui t'invite.

Suivit un silence méditatif durant lequel Sam entendit presque le frémissement des pastilles gustatives de Bookman.

— Que ce soit bien clair, rétorqua le lieutenant. Tenterais-tu de corrompre un membre de la police de Los Angeles ?

— Je crois que oui.

— C'est bien ce que je pensais. Bon, donne-moi tous les détails possibles concernant l'appareil ainsi que l'adresse où tu es descendu. Je t'enverrai par FedEx les empreintes et tout ce que j'aurai trouvé d'autre. Je suppose que c'est urgent ? Question stupide. Tout est urgent.

En allant rejoindre les autres au bar, son esprit tournant à toute vitesse, Sam éprouvait le familier frisson d'excitation et d'impatience qu'il ressentait toujours quand les missions commençaient à devenir intéressantes. L'étape suivante dépendrait de Philippe qui, à n'en pas douter, ne demandait qu'à l'aider. Mais avait-il les contacts ? Et serait-il en mesure d'exercer la pression requise sur les personnes adéquates ?

En regagnant la table, Sam fit signe que tout allait bien.

— Avec un peu de chance, nous devrions recevoir demain matin les empreintes de Roth et peut-être aussi des éléments concernant l'avion de Reboul. (Il s'assit et prit son verre.) C'est ici que vous intervenez, Philippe, et donc que vous méritez votre scoop. (Philippe fit un effort pour afficher un air grave et déterminé. Sam but une longue gorgée avant de continuer.) Ensuite, nous aurons à rechercher les empreintes sur les magnums de pétrus. Cela ne nous prendra pas longtemps, pas plus d'une heure, mais je ne peux pas le faire moi-même car, s'agissant d'une preuve, il faut l'intervention d'un professionnel, de la police donc. (Il regarda Philippe en haussant les sourcils.) Nous devrons faire entrer dans la cave l'expert en empreintes et l'en faire sortir sans éveiller les soupçons. Autrement dit sans que Vial le sache. S'il flaire quelque chose, autant faire nos bagages et rentrer chez nous.

Philippe s'agitait sur son siège, impatient de prendre la parole.

— Nous aurons peut-être de la chance avec la police, annonça-t-il. J'y ai un contact depuis plusieurs années. (Le regard un peu lointain, il se passa une main dans les cheveux.) Cela remonte à l'époque où je m'intéressais à certaines activités de l'Union corse, une sorte de version locale de la Mafia – le journal aime bien vérifier de temps en temps où ils en sont. Bref, ils ne faisaient rien d'extraordinaire, juste les brouilles habituelles : la drogue, les immigrants clandestins en provenance d'Afrique du Nord, les rackets sur les docks, la « protection » des commerces dans la ville, ce genre de choses.

« En ce temps-là, il existait une boîte où un certain nombre d'entre eux venaient claquer leur argent pour impressionner les filles. Et ils ne balançaient pas seulement de l'argent, ils distribuaient aussi pas mal de coke et d'héroïne. (Il s'interrompit pour boire une bonne gorgée de vin.) Une des filles – très charmante, très innocente – est tombée sur le mauvais numéro : il l'a rendue accro à l'héroïne. Je la voyais souvent dans cette boîte ; elle était dans un triste état et la façon dont il la traitait aggravait encore les choses. (Il secoua la tête avec une grimace.) Je m'apprêtais à aller trouver la police et à faire un grand article quand j'ai découvert un détail qui m'a fait réfléchir : le père de la fille était un flic, un inspecteur de police de Marseille. Vous pouvez imaginer le reportage que ça aurait donné.

« J'ai décidé de m'abstenir. J'ai persuadé la fille de me laisser l'emmener dans une clinique dirigée par un de mes amis et ensuite je suis allé voir son père. Il s'appelle Andreis. Un brave homme. Il nous arrive encore de déjeuner ensemble deux ou trois fois par an. Je ne prétends pas que nous sommes proches, mais j'ai un certain crédit auprès de lui.

Sophie découvrait son cousin sous un autre jour.

— Chapeau, Philippe, apprécia-t-elle. Qu'est-il advenu de la fille ?

— Ça s'est bien terminé. Elle a épousé un médecin qu'elle a rencontré à la clinique et je suis le parrain de leur petite fille.

Philippe considéra son verre d'un air surpris, comme si un phénomène d'évaporation s'était produit pendant qu'il l'avait quitté des yeux.

— Croyez-vous, demanda Sam en le resservant, qu'il nous prêtera un de ses gars du laboratoire scientifique pour une heure ou deux ?

— Je peux le lui demander. Mais il voudra connaître le contexte et je devrai le lui expliquer.

— Bien sûr, répondit Sam en haussant les épaules. Nous ne projetons rien de vraiment illégal. Parlez-lui d'une vérification normale, d'une procédure de routine menée par une compagnie d'assurances consciencieuse et discrète qui ne cherche à causer ni ennuis ni embarras à qui que ce soit. Ce qui explique que nous jugions inutile de déranger Reboul. Vous croyez qu'il avalera cela ? Vous pouvez lui promettre qu'il n'y aura ni effraction ni vol. (Sam réfléchit un instant.) Enfin, dans la mesure où nous pourrons éloigner Vial pour une heure ou deux. Ce point reste à régler. Quelqu'un a une idée ? (Il leva son verre en direction de Sophie et de Philippe.) À votre inspiration !

Puis ils se séparèrent pour la soirée : Sophie pour téléphoner à son bureau avant de se faire servir une collation dans sa chambre afin de se coucher de bonne heure, Philippe pour contacter l'inspecteur Andreis. Quant à Sam, il devait, non sans quelque appréhension, appeler L.A. et faire son rapport à Elena Morales ; leur dernière conversation s'étant terminée plutôt froidement, Sam estimait le moment venu de réchauffer quelque peu leurs relations.

Elena lui réserva un accueil glacial, ne répondant à son exposé que par monosyllabes : il découvrait maintenant ce que pouvait éprouver un employé de télémarketing un mauvais jour. Il respira un bon coup.

— Elena, écoute-moi, s'il te plaît. D'abord, je ne veux pas que tu te fasses une fausse idée de Sophie Costes. Elle m'a été d'un grand secours et elle a fait quelques très bonnes suggestions. (Autant parler à un interlocuteur en Sibérie, mais, au moins, elle n'avait pas raccroché.) De plus – et ça, tu ne le trouveras pas sur son CV –, elle a l'intention de se marier à l'automne ; il s'appelle Arnaud, il est bordelais, charmant, a la quarantaine, une vieille mère, deux labradors – Lafite et Latour – et aussi apparemment un château, un très grand.

— C'est pour me dire ça que tu appelais ?

Sam décela un léger changement de climat à l'autre bout de la ligne.

— En partie, oui. Pour mettre les choses au point. Pour que tu n'imagines pas que je pensais à, enfin, tu sais...

Elena le laissa mariner quelques instants avant de répondre.

— D'accord, Sam, j'ai compris. (Son ton était presque amical.) Alors, comment ça se passe là-bas ?

— Ça ne s'annonce pas trop mal. J'en saurai plus d'ici à deux ou trois jours.

Sam raconta à Elena ce qui s'était passé depuis la première rencontre avec Reboul ; la journée avec Vial, les découvertes dans la cave, le coup de fil à l'inspecteur Bookman et les efforts de Philippe pour aider à résoudre le problème des empreintes.

— Autrement dit, conclut-il en arrivant au terme de son rapport, du progrès, mais rien de définitif. Rien encore qui puisse donner à Roth des raisons de s'exciter.

En entendant mentionner le nom de son client, Elena lâcha quelque chose de bref et de cinglant en espagnol. Cela ne ressemblait pas à un compliment.

— Je suis sûr que tu as raison, approuva Sam. Tu sais, tu devrais le lâcher un peu, prendre quelques jours pour souffler. Pense à toi. Paris au printemps, paraît-il, n'est pas mal du tout.

— Tiens-moi au courant pour les empreintes. Et merci d'avoir appelé, ajouta-t-elle d'une voix nettement plus douce.

Elle raccrocha. Relations diplomatiques renouées.

18.

Le bar Chez Félix, spacieux et bien tenu, est situé dans une petite artère des plus banales, mais à deux minutes à pied de l'hôtel de police de Marseille, rue de l'Évêché. Ce voisinage commode et, avantage supplémentaire, le fait qu'il appartient à un gendarme retraité en font, depuis longtemps, le refuge préféré des officiers de police qui viennent y chercher un réconfort liquide après une dure journée passée à tabasser les membres de la pègre. Autre attrait de cet établissement, les trois petites niches aménagées dans le fond de la salle où peuvent se discuter en privé les affaires délicates : Philippe s'était arrangé pour y rencontrer l'inspecteur Andreis.

Ce dernier, mince, grisonnant, le regard vigilant de l'homme qui a connu plus que sa part de problèmes, arriva juste au moment où Philippe prenait livraison de deux verres de pastis, d'un pot ventru rempli d'eau et de glaçons ainsi que d'une petite soucoupe d'olives vertes.

— J'ai commandé pour vous, dit-il en serrant la main du policier. Vous buvez toujours du Ricard ?

Andreis acquiesça et regarda Philippe verser de l'eau dans leurs verres, qui se teintèrent aussitôt en fameux jaune pâle un peu trouble.

— Ça suffit, ne le noyez pas, prévint-il avec un sourire.

— Buvons à la vie de retraité! lança Philippe en levant son verre. Dans combien de temps maintenant?

— Encore huit mois, deux semaines et quatre jours, répondit Andreis en consultant sa montre. Sans oublier les heures supplémentaires. Et ensuite, Dieu merci, en route pour la Corse. (Il tira de sa poche une photo un peu froissée qu'il posa sur la table. On y voyait une modeste maison de pierre bâtie au cœur d'une mer gris argenté d'oliviers impeccablement plantés autour du bâtiment comme les rayons d'une roue.) Trois cent soixante-quatre arbres, soit, les bonnes années, environ cinq cents litres d'huile. (Andreis contempla sa future résidence avec attendrissement.) Je cultiverai mes olives et je gâterai ma petite-fille. Je mangerai des *figatelli* et du fromage de brebis en buvant du vin de Patrimonio. Et j'aurai le chien dont j'ai toujours désiré la compagnie. (Il se carra dans son fauteuil, croisa les mains sur sa nuque et, s'étirant, envisagea le reste de sa vie avec un sourire.) Mais j'ai comme l'impression que vous ne vouliez pas me voir juste pour m'entendre rêver sur mes vieux jours.

Il pencha la tête de côté et Philippe commença son récit.

Le temps de raconter l'histoire, les verres étaient vides. Le garçon les resservit en pastis et en eau glacée, et Andreis, grignotant une olive, attendit pour prendre la parole qu'il fût reparti.

— Inutile de vous préciser, commença-t-il d'une voix basse et prudente, combien Reboul est puissant dans cette ville. On n'a pas envie d'être mal vu de lui. Et puis, ce n'est pas un mauvais bougre, quoiqu'un peu cabotin ; au long des années, j'ai même souvent entendu dire du bien de lui. (Du doigt Andreis essuya la petite flaque de condensation qui s'était formée à la base de son verre.) De plus, d'après ce que vous me dites, on n'est pas sûr qu'il ait mal agi. (Comme Philippe se penchait en avant pour l'interrompre, l'inspecteur l'arrêta d'un geste.) Je sais, je sais. Examiner ces empreintes permettrait de s'en assurer. S'il s'avère qu'elles correspondent aux siennes, ma foi...

— Ce serait un indice de culpabilité, n'est-ce pas ?

— Je suppose que oui. Oui, vous avez raison.

Andreis hocha la tête en soupirant : il n'avait guère envie d'être impliqué. Fourrer son nez dans les affaires d'hommes puissants, d'hommes d'influence, finissait fatalement au détriment du propriétaire du nez. D'un autre côté, comment ignorer un coup pareil, un coup qui avait manifestement toutes les apparences d'une grosse affaire ? En tout cas, le journaliste assis en face de lui ne la laisserait pas passer. Andreis soupira une nouvelle fois, le soupir de l'homme confronté à une décision qu'il préférerait ne pas avoir à prendre.

— Bon, reprit-il. Voici ce que je peux faire : je peux vous confier deux ou trois heures un spécialiste des empreintes, mais à la condition que vous me garantissiez que Reboul et ses gens n'en sauront rien, du moins jusqu'à la vérification des empreintes. Pouvez-vous me le promettre ?

— Je crois. Oui.

— Je ne veux surtout pas que Reboul appelle son vieux copain, le préfet de police, pour se plaindre de l'utilisation illicite de moyens officiels. Alors, pas de gaffe. (Andreis tira un stylo de sa poche pour griffonner un nom et un numéro de téléphone sur un dessous de chope qu'il poussa vers Philippe.) Grosso. Cela fait vingt ans que nous travaillons ensemble. Il est fiable, rapide et discret. Je lui en toucherai un mot ce soir et vous pourrez l'appeler demain matin.

— Ça pourrait marcher, dit Sam. S'il s'agissait de Reboul, j'en serais certain. En revanche, avec Vial, je ne sais pas.

Sophie prit un morceau de pain dans la corbeille pour saucer dans son assiette les dernières gouttes de bourride. Ils dînaient dans un restaurant de poissons près du port et le grand sujet de conversation de la soirée portait sur Florian Vial : comment le faire sortir de la cave le temps de relever les empreintes sur les bouteilles ?

Sophie proposa alors une solution toute simple : pour le remercier de son aide, elle l'inviterait à déjeuner. On laisserait Sam dans la cave, officiellement pour voir les vins blancs qu'il n'avait pas vus lors de la première visite mais, en réalité, pour désigner à celui qui relèverait les empreintes les bouteilles qu'on soupçonnait avoir été volées.

L'idée ne reposait en fait que sur une supposition, celle du supposé goût de Vial pour les jolies femmes, mais sur ce point Sophie se montrait optimiste. Après tout, Vial était français. Et, expliqua-t-elle, les Français du genre et de l'âge de Vial avaient été élevés à apprécier le sexe opposé, à en rechercher la compagnie et à se montrer galants avec ses représentantes. Elle connaissait plusieurs hommes de ce type à Bordeaux – charmants, attentifs, plaisamment flirteurs. Des messieurs qui aimaient les femmes, qui n'iraient peut-être pas tout à fait jusqu'à leur pincer les fesses mais qui, assurément, y pensaient. Qui, en tout cas, ne laisseraient jamais passer une occasion de déjeuner en séduisante compagnie.

Sophie observait Sam d'un air amusé. Il se débattait avec ses calamars à l'encre, et les taches sombres qui maculaient la serviette nouée autour de son cou prouvaient que les mollusques n'avaient pas capitulé sans résistance.

— Le problème, Sam, c'est que vous ne comprenez pas les Français. Vous verrez, tout ira bien. Laissez-moi appeler Philippe pour lui demander s'il connaît un bon restaurant proche du palais. (Elle prit sa serviette, en humecta un coin avec l'eau du seau à glace et la lui tendit.) Tenez. On dirait que vous vous êtes barbouillé de rouge à lèvres noir.

Pendant que Sam se nettoyait et commandait les cafés, elle appela son cousin.

Le lendemain matin, en arrivant dans la cave peu après dix heures trente, ils trouvèrent un Vial bouillonnant de joie : un collègue de Beaune venait de l'appeler pour lui annoncer sa sélection en tant qu'invité d'honneur à un dîner donné par les Chevaliers du Tastevin. C'était là une insigne marque de respect, d'autant plus qu'on y observerait toutes les belles traditions d'antan. Le dîner – une réception intime où n'étaient conviés que deux cents éminents Bourguignons – aurait lieu au Clos de Vougeot, le quartier général des Chevaliers du Tastevin qui, pour l'occasion, arboreraient leurs longues robes rouges. L'accompagnement musical serait assuré par les Joyeux Bourguignons, ces maîtres de la chanson à boire. Et les vins, inutile de le préciser, couleraient en abondance, et exquis.

Seule la perspective d'avoir à prononcer un discours modérait quelque peu l'enthousiasme de Vial, mais Sophie le rassura.

— Vous entendre parler de vin, affirma-t-elle, c'est comme entendre de la poésie. Je pourrais vous écouter toute la journée. (Et, sans laisser à Vial, tout confus, le temps de se remettre du compliment, elle poursuivit.) Mais, Florian – si je puis me permettre –, voilà qui tombe très bien. Je m'apprêtais à vous inviter à déjeuner aujourd'hui pour vous remercier de votre aide ; nous en profiterions pour fêter cela en même temps. Avec ce temps magnifique, je pensais à une table en terrasse au Peron. Vous allez dire oui, n'est-ce pas ?

Cette fois, elle avait bel et bien battu des cils, Sam en était certain.

Vial consulta son agenda pour la forme, mais il était manifestement ravi ; il n'opposa donc qu'une

187

résistance symbolique et qu'un semblant de regret lorsque Sophie lui annonça que Sam devrait rester pour terminer leur travail concernant les vins blancs.

Les deux heures suivantes s'écoulèrent lentement. Vial entraîna Sophie pour lui présenter les gloires des vins rouges de Reboul, insistant particulièrement ce matin-là sur les bourgognes – il y puiserait quelque inspiration pour son futur discours. Sam en profita pour trouver, au milieu des champagnes, un coin éloigné d'où il pourrait utiliser son portable.

— Philippe ? Sophie me dit que vous avez trouvé un type pour relever les empreintes. En civil, j'espère.

— Bien sûr, s'esclaffa Philippe. Vous savez ce qu'on prétend, mon ami : si vous cherchez à obtenir quelque chose, demandez à un journaliste. Je lui ai parlé ce matin. Il se tient à notre disposition.

— Eh bien, aujourd'hui serait le bon jour. À l'heure du déjeuner, vers une heure moins le quart, mais pas avant. Ça ira ?

— Comment entrerons-nous ?

— Dans la journée, on laisse les grilles ouvertes et il n'est pas nécessaire que vous approchiez de la maison. Allez directement au plateau de livraison devant la cave. Il est indiqué sur la gauche de l'allée. Je vous ferai entrer. Et, Philippe ?

— Quoi donc ?

— Assurez-vous de ne pas débarquer avec une voiture de police.

Difficile d'imaginer endroit plus agréable pour déjeuner par une belle journée ensoleillée que la terrasse du Peron. Situé tout en haut de la corniche Kennedy, le restaurant offre un mélange irrésistible : du poisson frais, un air pur et un panorama éblouissant sur les îles du Frioul et le château d'If. Bref, un décor à aiguiser l'appétit et à créer une atmosphère de vacances qui eut un effet immédiat sur l'instinct chevaleresque de Vial. Écartant le serveur, il insista pour tirer le fauteuil de Sophie et s'assura qu'elle était confortablement installée avant de s'asseoir lui-même.

Il se frotta les mains et prit une grande goulée d'air marin.

— Délicieux, délicieux. Excellent choix, chère madame. C'est un véritable enchantement.

— Je vous en prie, appelez-moi Sophie, suggéra la jeune femme en baissant la tête. J'ai pensé que nous pourrions peut-être commencer par une coupe de champagne. Mais ensuite, c'est vous qui choisirez le vin. Je suis certaine que vous avez vos petites préférences locales.

Voilà, comme l'avait prévu Sophie, qui suffit à lancer Vial dans un voyage verbal parmi les vignobles de Provence.

— L'existence de nos vignes, commença-t-il, remonte à 600 ans avant Jésus-Christ, date de la fondation de Marseille par les Phocéens.

À partir de là, interrompu seulement par l'arrivée du champagne et des menus, Vial entraîna Sophie de Cassis à Bandol et plus loin encore, à l'est jusqu'à Palette et à l'ouest jusqu'à Bellet, avec un long détour pour visiter les vins méconnus du Languedoc.

L'homme, songea Sophie, était une véritable encyclopédie ambulante, et il éprouvait pour son sujet un enthousiasme contagieux et assez attachant.

Ils passèrent leur commande et Vial choisit un blanc bien sec de Cassis pour accompagner le loup de mer. Sophie profita de cette pause pour le questionner sur lui-même et sur ses années avec Reboul.

Une histoire heureuse avec un début tragique, résuma Vial pour commencer. Trente-cinq ans auparavant, Reboul, qui montait ses premières affaires, engagea le père de Vial comme directeur financier de ce qui n'était alors qu'une bien modeste société. Les deux hommes devinrent amis. L'entreprise se développa. Le jeune Florian, fils unique, obtenait de bons résultats à l'université. L'avenir s'annonçait donc sous de riantes couleurs. Il fut anéanti de façon brutale par une nuit d'hiver ; phénomène rare à Marseille, une neige glaciale s'était abattue sur la ville. Les routes étaient verglacées, situation que bien peu de conducteurs provençaux savaient affronter. Les parents de Vial rentraient du cinéma quand un camion dérapa et emboutit leur voiture, l'écrasant contre un mur de béton ; ses occupants furent tués sur le coup.

La vie de Vial changea du tout au tout. Reboul prit sous son aile le fils de son ami ; il encouragea l'intérêt que le jeune homme portait au vin et lui paya une formation de viticulture de six mois à l'Institut coopératif du vin de Carpentras, suivi d'une année d'apprentissage chez des négociants de bourgogne et de bordeaux. Au cours de cette année, il apparut clai-

rement que l'étudiant jouissait d'un palais exceptionnel. Ce que confirma un stage de six mois à Paris
sous la houlette du légendaire Hervé Bouchon,
lequel était, à l'époque, le meilleur sommelier de
France. Sur la recommandation de ce dernier,
Reboul décida de prendre le jeune Vial comme
caviste de son entreprise avec pour mission d'en faire
la meilleure cave privée de France ; dans ce but, il lui
alloua un généreux budget.

— C'était il y a longtemps, dit Vial, près de trente
ans. Sans lui, je ne sais pas où je serais aujourd'hui.
(Son air songeur s'éclaira quand le serveur vint
prendre leur commande du dessert.) Si vous per-
mettez, nous pourrions essayer ce que la Provence
offre de plus proche d'un de ces sauternes que vous
autres Bordelais réussissez si bien : un muscat de
Beaumes-de-Venise. Vous laissez-vous tenter ?

L'histoire de Vial avait légèrement déconcerté
Sophie qui, peu à peu, se prenait à espérer que
Reboul ne fût pas coupable. Une petite voix lui soufflait pourtant que, dans le cas contraire, il serait bien
injuste qu'il s'en tirât sans ennuis. Elle jeta un coup
d'œil furtif à sa montre et se demanda comment Sam
se débrouillait.

Philippe et Grosso, petit homme frêle à la mise
soignée chargé d'un porte-documents noir qu'il
décrivit comme sa boîte magique, étaient arrivés au
volant d'une voiture banalisée à une heure moins dix.
Sam les attendait à la porte. C'était la première fois
que Philippe visitait la cave et le spectacle de ces

rangées de bouteilles s'étendant à perte de vue sous les voûtes de brique roses le laissa muet.

— Merde, lâcha-t-il enfin. Merde, insista-t-il avec un petit sifflement.

Sam les conduisit jusqu'au casier des magnums de pétrus. Grosso les examina tout en ouvrant son attaché-case pour en tirer une torche à halogène, une sélection de pinceaux, un coffret noir et plat ainsi qu'une petite boîte en plastique. Fléchissant les doigts, il siffla entre ses dents.

— On fait toutes les bouteilles ? s'enquit-il en regardant Sam. Toutes ? (Sam acquiesça.) Et il vous faut l'ADN ?

Nouveau hochement de tête.

Philippe prenait fébrilement des notes : il voyait son scoop prendre forme et, à ce stade crucial de l'histoire, plus il réussirait à glaner de détails, mieux cela serait. Il s'approcha de Grosso pour voir comment l'expert s'y prenait.

— Monsieur Grosso, dit-il, je ne veux pas vous déranger, mais je suis fasciné. Pourriez-vous m'expliquer succinctement votre méthode ?

Sans regarder Philippe, Grosso lui fit signe d'avancer. Il avait posé sur le sol le premier magnum et braquait sur lui sa torche électrique.

— D'abord, dit-il, je procède à l'examen visuel pour repérer la surface des empreintes. (Il ajusta l'angle du faisceau.) Certaines ne se distinguent que sous un éclairage rasant. (Avec un grognement, il éteignit la torche et dévissa le couvercle de la boîte en l'inclinant de côté pour que Philippe puisse en voir le contenu.) C'est de la poudre métallique : des paillettes d'aluminium. Ce sont les plus sensibles et elles réagissent admirablement. (Il prit un des pinceaux et se mit à étaler soigneusement la poudre d'un mouvement circulaire.) C'est ce qu'on appelle un pinceau Zéphyr : en fibre de carbone avec une tête qui fait éponge pour éviter au maximum de perturber le dépôt de l'empreinte. (Laissant là le pinceau, il ouvrit son coffret noir dont il retira des lamelles de ruban adhésif transparent.) Je vais maintenant utiliser cela pour relever les empreintes. (Ses doigts évoluant avec une infinie précision, il appliqua les bandes de ruban sur les diverses empreintes puis les détacha pour les déposer sur une feuille d'acétate transparent.) Voilà. Vous voyez? Avec cette technique, pas besoin de prendre de photographies.

Grosso remit en place le premier magnum et passa au second.

Sam, qui suivait le rituel et le trouvait d'une lenteur exaspérante, donna une petite tape sur l'épaule de Philippe.

— Vous n'avez aucun moyen d'accélérer le mouvement? murmura-t-il.

Philippe s'agenouilla sur le sol auprès de Grosso pour lui demander d'aller plus vite. Sam ne pouvait pas entendre ce que disait l'autre, mais cela ressemblait plus à un grommellement qu'à une réponse; d'ailleurs, Philippe faisait la grimace quand il releva les yeux vers Sam.

— Il a dit : « Je ne peux pas danser plus vite que la musique. » Ce que je traduis par : nous devrions lui ficher la paix.

Sam, jugeant que sa présence ralentirait encore la progression déjà lente de Grosso, choisit de s'éloigner. Son regard fut alors attiré par des cartons entassés dans un coin et à demi dissimulés derrière le chariot de golf de Vial. Sur les cartons, en caractères calligraphiés, ce qu'il avait toujours cru être la marque du vignoble : *Domaine Reboul, St Helena, California.* Il se rappelait avoir entendu Vial mentionner, sans grand enthousiasme, une propriété dans la vallée de Napa et il ouvrit un des cartons pour voir le genre d'étiquette que le magnat utilisait pour son vin américain. Mais le carton était vide. Tout comme celui d'à côté, tout comme le suivant.

Il appela l'hôtel pour demander s'il avait reçu un envoi de FedEx. Rien. Maîtrisant tant bien que mal son impatience, il se replia vers l'impressionnant décor de la rue de Corton-Charlemagne et revint aux questions qui, depuis les derniers jours, occupaient un coin de son esprit. Que ferait-il si les empreintes correspondaient ? Confronterait-il Vial ? Impliquerait-il officiellement la police ? Ou passerait-il le problème à Elena et aux gens des Assurances Knox ? Adopterait-il toutes ces solutions ? Ou bien aucune ?...

Les minutes s'écoulaient avec une terrible lenteur, mais elles s'écoulaient. Lorsque Sam regarda de nouveau sa montre, il n'était pas encore tout à fait deux heures. Il retourna voir où en était Grosso avec les magnums. Plus que quatre à examiner.

Sophie avait dit qu'elle irait se repoudrer et en profiterait pour les appeler lorsque Vial et elle s'apprêteraient à quitter le restaurant.

Grosso continuait : sans précipitation, calmement, méthodiquement.

— Mais c'est tout à fait délicieux, apprécia Sophie après avoir dégusté sa première gorgée de beaumes-de-venise. À mi-chemin entre doux et sec. Exquis.

Elle leva son verre d'un air reconnaissant vers Vial, lequel lui retourna un sourire en hochant la tête. Comme on pouvait s'y attendre, il avait quelques commentaires à faire à propos du pedigree du vin.

— Selon les historiens, le nom de ce raisin vient de l'italien *moscato,* qui signifie « musc ». Or le musc est très apprécié des cerfs. (Vial se permit un froncement de sourcils un peu coquin.) C'est la sécrétion avec laquelle – comment dirais-je ? – ils lancent une invitation à la représentante du sexe opposé, la biche. D'ailleurs, on fait aussi usage du musc dans la composition de parfums qui, portés par nous, les humains, sont censés produire un effet similaire. (Il prit son verre, l'approcha de son nez et le huma longuement.) Délicat, très féminin – et, oui, avec un soupçon de musc. On fortifie de nombreux vins doux, mais pas le beaumes-de-venise. Cela lui donne un goût plus suave, plus subtil que, par exemple, le muscat de Frontignan. (Il but une gorgée et se carra dans son fauteuil, son regard allant de Sophie au panorama pour revenir ensuite à Sophie. Avec un haussement d'épaules navré, il consulta sa montre.) Je ne saurais vous dire à quel point j'ai pris plaisir à ce déjeuner, déclara-t-il. Mais je n'avais aucune idée de l'heure. Comme le temps a vite passé. Je crains, hélas ! que nous ne devions rentrer.

— Juste un café avant de partir, répondit Sophie. Je vais le commander en allant me repoudrer.

Elle referma la porte de la cabine derrière elle et vérifia l'heure en attendant que Sam décroche : un peu plus de deux heures et quart.

— Il a fini ?

— Il remballe son matériel. Encore cinq minutes et ils seront dehors. Prenez un cognac, ou quelque chose.

— Cinq minutes, Sam. Pas davantage.

En vérité, terminer le beaumes-de-venise, boire le café et régler l'addition leur prit presque dix minutes et, lorsqu'ils regagnèrent la cave, elle était telle qu'ils l'avaient laissée : déserte, à l'exception de Sam. En franchissant la porte, ils purent l'entendre siffloter « La Vie en rose ».

19.

Sophie et Sam repartirent à pied vers leur hôtel ; derrière eux, Vial, dont la silhouette s'encadrait dans l'entrée de la cave, les salua de la main à l'instant où ils franchissaient les grilles.

— Alors, ce déjeuner ? s'enquit Sam.

— Je crois qu'il était content. (Sophie s'arrêta pour chercher ses lunettes de soleil dans son sac.) J'en suis même certaine : on ne m'a jamais autant remerciée. Mais tout ça me gêne un peu. Vous comprenez ? Il est gentil, cet homme, et, au fond, ce déjeuner n'était qu'un piège.

Sam observait deux mouettes qui, dans les airs, se disputaient un bout de poisson.

— Vous réagiriez autrement si Vial et Reboul étaient une paire de salopards ?

— Bien sûr. (Elle se tourna vers Sam en haussant les épaules.) Ce n'est pas logique, je sais. Un crime est un crime, peu importe qui l'a commis.

Ils poursuivirent leur chemin dans un silence songeur. Une fois à l'hôtel, Sam se dirigea vers la réception, puis revint en brandissant devant Sophie une enveloppe de FedEx.

— La réponse à toutes nos questions. Ou peut-être pas, ajouta-t-il avec un sourire désabusé.

Il ouvrit l'enveloppe et en retira le contenu. Agrafé à une feuille officielle d'empreintes digitales de la police de Los Angeles, un mot griffonné par Bookman :

Sam,
Voici les empreintes. Les types qui les ont relevées étaient déçus de ne pas avoir à recourir à la force car Roth n'est pas de leurs meilleurs amis.
Un Falcon Dassault immatriculé au nom du groupe Reboul a décollé de l'aéroport de Santa Barbara le 27 décembre pour JFK. Destination finale Marseille. Détails du plan de vol disponibles si nécessaire.
Bonne chance.
P.-S. J'ai jeté un coup d'œil à la carte des vins de la French Laundry. Commence à faire des économies.

Hochant la tête, Sam passa le billet à Sophie.

— Félicitations : vous venez d'être promue inspecteur. Il se pourrait que vous ayez raison à propos de l'avion. Ce n'est qu'une preuve indirecte certes, mais la date correspond. (Il remit le document dans son enveloppe et attrapa son portable.) Nous ferions mieux de montrer cela à Philippe.

Grosso reposa sa loupe et leva les yeux du jeu d'empreintes de Roth qu'il venait d'examiner.

— Impeccable, pas de problème en principe. Je vous tiens au courant, conclut-il à l'adresse de Philippe tout en se levant pour se diriger vers la porte de son bureau. (Philippe avait du mal à dissimuler son impatience et à maîtriser ses pieds qui, comme animés d'une vie propre, battaient frénétiquement la mesure sur le plancher.) Ce genre de chose ne se fait pas en deux minutes, ajouta-t-il en calmant Philippe d'un geste de la main. Vous cherchez une concordance sans équivoque, n'est-ce pas? (Philippe acquiesça.) Sans équivoque, répéta Grosso. Ce qui signifie qu'elle doit être parfaite. Le moindre doute et la preuve ne tient plus. Il me faut la *certitude*, et pas seulement l'*impression*, que les empreintes concordent bien. Vous comprenez ? Or cette opération prend du temps. (Grosso signifia la fin de la conversation en ouvrant la porte.) Je vous appellerai dès que je serai sûr, dans un sens ou dans l'autre.

Philippe se faufila dans le flot de la circulation des alentours du Vieux-Port et remonta la colline en direction du Sofitel tout en réfléchissant. Ils en étaient arrivés à la dernière pièce du puzzle : si les empreintes concordaient, l'article s'écrirait presque tout seul. Certes, il faudrait légèrement corriger, à bon escient, arrondir un peu les angles çà et là. D'une part, Sophie et Sam ne tenaient sans doute pas à ce que leurs noms soient cités, d'autre part se posait le problème du rôle joué par l'inspecteur Andreis. Mais en recourant à un style journalistique bien rodé, il pourrait toujours justifier toutes les petites omissions de ce genre en invoquant le premier commandement du reporter – « Tes sources jamais ne révéleras » – qui l'emporte même sur l'autre vieux principe : « Le public a le droit de savoir. » Philippe sentit monter en lui une bouffée d'optimisme : tout cela devenait franchement prometteur. Il s'arrêta devant l'hôtel de fort bonne humeur et tendit au portier, stupéfait, un billet de cinq euros en lui demandant de garer son scooter.

Pour passer le temps, Sophie et Sam avaient décidé de jouer les touristes : ils avaient donc pris un taxi jusqu'à Notre-Dame-de-la-Garde, la basilique qui domine Marseille. La Bonne Mère – son surnom local –, couronnée d'une statue de la Vierge et de l'Enfant drapés de feuilles d'or, haute de dix mètres, abrite une étonnante collection d'ex-voto. Offerts au long des siècles par des marins et des pêcheurs ayant réchappé de la mort en mer, ils se présentent sous de multiples formes – plaques de marbre, mosaïques, collages, modèles réduits, tableaux, ceintures de sauvetage, pavillons, figurines – et couvrent les murs intérieurs de l'église. Leur thème commun, la gratitude, est souvent exprimé avec une grande simplicité. « Merci, Bonne Mère » est le message le plus fréquent.

Sophie trouva fascinants et particulièrement touchants ces souvenirs de catastrophes frôlées qui, en rappelant la mort, célébraient la vie. Pour Sam, qui ne gardait de la vie en mer que de brèves réminiscences souvent déplaisantes, ils évoquaient surtout sa profonde aversion pour les bateaux qui, non contents de n'offrir qu'un espace exigu, humide et inconfortable, secouaient à tout-va et avaient la regrettable habitude de faire naufrage. Après avoir contemplé le tableau, particulièrement évocateur, d'un trois-mâts sur le point de chavirer en haute mer, Sam s'approcha de Sophie et lui murmura :

— Vous ne trouvez pas que la terre ferme, c'est merveilleux? Je vais vous attendre dehors. Si je m'attarde ici, je crains d'avoir le mal de mer.

Après une heure passée dans la pénombre de la basilique, ses yeux mirent un moment à s'habituer à l'éclat du soleil de début de soirée et un peu plus longtemps à embrasser le panorama. Même si, depuis l'hôtel ou le salon de Reboul au palais du Pharo, il avait déjà eu l'occasion d'amasser une belle collection de vues de la ville, ce qu'il découvrit de l'esplanade au pied de la Bonne Mère lui coupa le souffle : au nord, le Vieux-Port et le quartier du Panier; à l'ouest, les élégantes villas XIXe siècle du Roucas Blanc et les plages du Prado; au sud, une cascade de toits de tuiles descendant jusqu'à l'étendue scintillante de la mer. Il était en train de se demander si Reboul montait de temps à autre jusqu'ici pour comparer cette vue avec celle qu'il avait de chez lui lorsque son portable sonna.

— Sam? Où êtes-vous? murmura Philippe d'un ton pressant.

— Sur le toit du monde. Devant la grande église avec une si belle vue.

— Rentrez plutôt à l'hôtel. Il faut qu'on parle.

— Que se passe-t-il?

— Grosso vient d'appeler. Sur trois magnums, les empreintes correspondent à celles de Roth. Sans la moindre équivoque.

Sam ne savait pas trop s'il était content ou déçu et, durant le trajet de retour en taxi, il apparut clairement que Sophie, elle aussi, éprouvait des sentiments contradictoires. Mais, à l'hôtel, ils retrouvèrent un homme qu'aucun doute ne troublait : Philippe s'était installé dans un coin, devant une table où attendaient trois flûtes et une bouteille de champagne dans un seau à glace.

Philippe se leva avec un sourire presque aussi large que ses bras grands ouverts.

— Alors, chers collègues, nous avons éclairci l'affaire, non ? Nous tenons une preuve.

Il se pencha pour servir le champagne, emplissant les flûtes avec le plus grand soin avant de les leur tendre. Levant la sienne et s'inclinant devant Sophie et Sam, il déclara :

— Félicitations à nous trois. Ça va être une surprise de taille pour Reboul, hein ? Oh, j'oubliais : j'ai à l'aéroport un bon contact capable certainement de découvrir ce que renfermait la cargaison transportée de Californie par l'avion de Reboul en décembre dernier. C'est drôle, vous savez. Une chose mène à une autre et puis... pouf, toutes sortes de secrets sortent au grand jour.

Sam, songeur, but une gorgée de champagne avant de répondre :

— Un détail me tracasse dans toute cette affaire : le mobile. Si quelqu'un a jamais disposé de tout, c'est bien Reboul ; réussite, argent, et tous les signes extérieurs de richesse : des petites amies en veux-tu en voilà, un palais en toute propriété, un jet privé, deux yachts et, Dieu le sait, plus de vin qu'il n'en faut pour tenir jusqu'à la fin de ses jours. (Il s'interrompit et regarda Philippe.) Pourquoi a-t-il fait ça ? Pourquoi prendre ce risque ?

— Une fois de plus, Sam, rétorqua Philippe en secouant la tête, vous ne comprenez pas les Français.

Lacune dans son éducation qu'on lui avait déjà fait remarquer à plusieurs reprises ces jours-ci.

— Exact. Sophie me l'a déjà dit. Et alors ?

— N'oubliez pas, poursuivit Philippe, que Chauvin était français. C'est nous qui avons inventé le chauvinisme, que certains pourraient même qualifier d'arrogance. (Là-dessus, Philippe fronça les sourcils comme s'il était étonné qu'on puisse penser une chose pareille de ses compatriotes.) La passion nous emporte quand il s'agit de notre pays, de notre culture, de notre cuisine, de notre patrimoine. Et personne n'est plus passionné que notre ami Reboul. Il va même jusqu'à payer ses impôts en France, vous vous rendez compte ? Vous avez lu les articles qui mentionnent ses perpétuels grands laïus sur les horreurs de la mondialisation, l'érosion des valeurs françaises, et le tragique passage dans des mains étrangères de biens du patrimoine français : affaires, propriétés et, bien sûr, nos meilleurs vins. Apprendre par les journaux qu'autant de premiers crus de bordeaux étaient entreposés dans une cave de Hollywood – Hollywood, par-dessus le marché ! – a probablement constitué à ses yeux un affront, un scandale qu'il a été incapable d'admettre. Et puis, évidemment, il y a un autre facteur que nous ne devons pas oublier, un facteur de la plus haute importance : le défi sportif. Mais oui, conclut Philippe en buvant une gorgée de champagne.

Sophie et Sam paraissaient dubitatifs.

— Soit, dit Sam, admettons que vous ayez raison, bien que j'accepte difficilement l'idée du vol pour des raisons purement patriotiques. Que vient faire le sport là-dedans ? Encore une chose qui m'échappe à propos des Français ?

Philippe se carra dans son fauteuil, en véritable professeur s'apprêtant à faire bénéficier de ses lumières un étudiant prometteur.

— Non, pas cette fois. Cela tient plus au fait d'être riche que d'être français. Il s'agit de ce sentiment de pouvoir tout posséder, tout faire, qu'acquiert un homme après des années de richesse et de puissance. Autrement dit, la folie des grandeurs. Il cédera à tous ses caprices, prendra des risques, certain que, après tout, son argent le protégera si les choses tournent mal. (Il regarda tour à tour Sophie puis Sam pour tenter d'évaluer leurs réactions.) Vous en conviendrez, c'est généralement vrai. Venons-en maintenant aux cas particuliers, celui de Reboul, par exemple. (Un groupe de jeunes hommes d'affaires – costume sombre, cheveux coupés court et très grosses montres – vint s'installer à la table voisine. Philippe baissa la voix, si bien que Sophie et Sam durent se pencher vers lui pour l'entendre.) Reboul a bâti son empire avec beaucoup de compétence. Ses différentes entreprises sont dirigées par des hommes avec qui il travaille depuis longtemps, auxquels il fait confiance et qu'il paie bien. En retour, année après année, ceux-là font des bénéfices, et le groupe Reboul marche sur des roulettes : un véritable mouvement d'horlogerie, il est connu pour cela. Quant à Reboul lui-même, que fait-il de son temps ? Il siège dans quelques conseils d'administration, histoire de se tenir au courant ; il cultive ses contacts ; il accorde des interviews ; il reçoit à dîner de hauts personnages. Et, pour s'amuser, il a son équipe de football et ses yachts.

Sam hochait la tête. Il avait rencontré en Californie quelques milliardaires confrontés au même problème. Certains, les plus chanceux, parvenaient à se distraire grâce à des projets compliqués comme l'America's Cup ; d'autres, animés d'un esprit concurrentiel, souvent étonnamment fragiles, et parfois extrêmement étranges, achetaient une société après l'autre, alternaient mariages et divorces. Or Reboul ne semblait ni fragile ni étrange. Peut-être s'ennuyait-il ? Sam imaginait aisément ce genre de personnage sombrant dans l'ennui.

Philippe baissa encore la voix.

— Nous avons donc un homme qui dispose d'une fortune sans limites, qui a du temps et qui voue un culte – il le proclame lui-même – à la France et à tout ce qui est français. Quoi de plus amusant dans ces conditions que ce petit jeu : préparer puis exécuter le vol parfait qui ramènerait dans son pays d'origine un trésor national ? Et peut-être ensuite inviter son ami le chef de la police à un dîner arrosé de vin volé ? Voilà le côté sportif. Voilà le défi.

Philippe se frotta les mains avant de tendre le bras vers le champagne.

Sam avait en effet connu des crimes commis pour le même genre de caprice. Cela lui était d'ailleurs personnellement arrivé, souvenir dont l'évocation lui donna au passage des idées pour l'avenir.

— Sophie ? dit-il. Qu'en pensez-vous ?

Sophie regardait son cousin d'un air songeur.

— Je pense que Philippe a déjà écrit son article. Mais oui, ce qu'il avance est possible. (Elle examina les bulles minuscules qui montaient du fond de sa flûte et haussa les épaules.) Alors, mes deux Sherlock Holmes, que faisons-nous maintenant ?

— Laissons la nuit nous porter conseil. Mais, avant cela, je ferais mieux d'appeler L.A. pour les mettre au courant.

On percevait dans la voix d'Elena une certaine froideur et un rien d'hostilité quand elle prit l'appel de Sam. Il lui avait déjà entendu ce ton lorsque les choses avaient commencé à mal tourner entre eux, et cela lui donnait toujours envie de courber le dos. Elle pouvait être redoutable quand elle se mettait en colère.

— Elena, ne mords pas, la prévint-il. C'est moi. Ton agent sur place.

Sam l'entendit prendre une profonde inspiration et expirer lentement.

— Sam, je suis désolée, mais je viens d'avoir droit au savon quotidien de Danny Roth. Je croyais que c'était lui qui rappelait. Il agit toujours ainsi. Il sait que ça me rend folle. (Elena fit suivre cette explication d'une brève mais cinglante tirade en espagnol

206

qui s'acheva sur un torrent de jurons puis une nouvelle profonde inspiration.) Excuse-moi, j'en avais besoin. Bon, maintenant raconte-moi ce qui se passe.

— La bonne nouvelle, c'est que je suis pratiquement certain que nous avons retrouvé le vin. On a relevé les empreintes de Roth sur certaines des bouteilles de la cave de Reboul ; le type qui les a identifiées travaille pour la police d'ici, c'est donc une preuve solide.

— Merveilleux, Sam. Beau travail. Félicitations. (Elle ne semblait pourtant pas encore prête à fêter cette victoire.) Mais, dis-moi si je me trompe, j'ai l'impression qu'il y aussi de mauvaises nouvelles.

— Ça se pourrait. C'est peut-être Reboul qui a fait le coup, mais il est malin. Selon toute probabilité, il aura dissimulé ses traces sous de fausses factures et toutes sortes de paperasseries. Si nous découvrons qu'il est le coupable, nous devrons engager un bataillon d'avocats ; inutile de te dire ce que ça représente : 1 million de dollars de frais de justice et une affaire qui traînera des mois, voire des années.

— Sans parler d'un procès pour décider qui devra payer les dépens.

— Exactement. Le problème est que nous ne saurons pas comment il s'est couvert sans entamer une action contre lui, et alors plus moyen de faire machine arrière. Je commence donc à envisager la perspective d'un plan B.

— Est-ce que ton plan B implique un homicide et un avocat bien connu à L.A. dans le monde du spectacle ? Je peux venir ?

— Elena, tu me connais. Je ne fais pas dans les homicides. Écoute, il y a une chose que j'ai besoin de savoir. Dans une affaire comme celle-là, à quelle hauteur places-tu la barre ? De quoi as-tu absolument besoin pour éviter de régler ce sinistre ?

— De trois éléments : découverte, identification et état de la marchandise. Nous devons savoir où se trouvent exactement les biens volés, ensuite il nous faut une confirmation en béton qu'il s'agit bien des bouteilles volées. Et enfin, nous devons nous assurer qu'ils sont toujours en bon état ; dans le même état que lorsqu'on les a volés. Il y a des douzaines de détails supplémentaires, mais si ces trois conditions essentielles sont remplies, nous sommes tirés d'affaire.

— Et qui se charge de ces vérifications ? Toi ou Roth ?

— Tu plaisantes ? La parole de Roth te suffirait ? Pour quoi que ce soit ? Tu connais le vieux dicton : « Tiens, il n'a pas menti ce matin ! » Eh bien, il s'applique à Danny Roth. Non, c'est nous qui procédons aux vérifications – en l'occurrence, moi et deux ou trois experts –, après quoi, nous obtenons la signature de Roth ; et je le pousse du haut de la falaise.

— Merci, Mrs Morales. Ce sera tout. Je vous recontacterai.

— C'est quoi, le plan B ?

— Fais-moi confiance. Tu n'as pas besoin de le savoir. Bonne nuit, Elena.

— Bonne nuit, Sam.

20.

La nuit n'en finissait pas, comme si le temps s'était arrêté et Sam, l'esprit en ébullition, était incapable de trouver le sommeil. Même le scotch, ce soporifique sur lequel il pouvait compter d'habitude, restait sans effet. Quant au documentaire de CNN sur la renaissance du système bancaire du Nigeria, il ne parvint pas davantage à exercer sur lui sa magie apaisante. Sam était éveillé comme en plein jour.

Il enfila un chandail pour sortir sur sa terrasse dans l'espoir que l'air vif de la nuit agirait là où whisky et télévision avaient échoué. Il contempla la lune brillant au-dessus du Vieux-Port; elle était presque pleine. Il regarda sa montre et se demanda où il se trouverait le lendemain à cette même heure – près de trois heures du matin –, si tout marcherait, s'il avait bien pensé à tout. Et surtout si les autres approuveraient.

L'aube le trouva toujours sur la terrasse, engourdi et frigorifié mais absolument pas fatigué. En fait, il avait l'impression que sa nuit d'insomnie lui avait fait l'effet d'une piqûre d'adrénaline et il avait hâte d'attaquer la journée. Il appela le room-service pour commander le petit déjeuner et prit une douche brûlante jusqu'à en faire rougir sa peau sous son hâle californien.

Il lambina autant qu'il put devant son café et la lecture du *Herald Tribune* mais, comme il était encore trop tôt pour appeler Sophie et Philippe, il décida d'aller faire un tour et, instinctivement, en quittant l'hôtel, il prit à droite, en direction du palais du Pharo.

Il se planta devant les grandes grilles encore fermées et regarda entre les barreaux noirs l'immense tapis vert de la pelouse qui s'étendait jusqu'à la maison. Vial n'arriverait guère avant dix heures, et les domestiques de Reboul profiteraient de son séjour en Corse pour s'octroyer une demi-heure supplémentaire au lit. Les lieux étaient étonnamment silencieux pour un endroit si proche du centre de la ville. Derrière lui, il entendait la rumeur de la circulation tandis que Marseille s'éveillait à l'activité du petit matin et il perçut aussi, venant des docks au-delà du Vieux-Port, l'appel mélancolique d'une sirène de navire. Cette plainte l'incita à descendre jusqu'au quai des Belges pour observer le début de la journée au marché aux poissons.

Les bateaux de pêche arrivent généralement entre huit heures et huit heures trente, mais les dames du marché ont déjà installé leur étal qui, vide et briqué de frais, attend la marchandise. Le vocabulaire souvent coloré de ces dames, débité avec délectation par des voix assez fortes pour rivaliser avec un mistral de force 8, constitue un des aspects traditionnels du marché – presque une attraction touristique en soi. Sam regrettait que sa connaissance du français ne fût pas assez poussée : la plupart des nuances qu'on n'oserait répéter lui échappaient en effet. Il aimerait, songea-t-il, revenir avec Philippe comme interprète.

Les bateaux avaient commencé à s'amarrer au quai et le badinage de ces dames prit de l'ampleur en même temps que le clapotement des poissons qu'on disposait sur les étals, leurs yeux encore brillants et leurs écailles étincelantes. Les clients arrivaient peu à peu et, suivant la vieille tradition française quand il s'agit d'acheter à manger, passaient, l'air soupçonneux, d'un étal à l'autre, scrutant les yeux d'une rascasse, humant les ouïes d'une galinette, comparant les attraits d'une daurade grillée aux délices d'une bouillabaisse.

L'unique expérience de Sam concernant ce plat légendaire – une expérience dont l'évocation le faisait encore frissonner – avait eu lieu à La Nouvelle-Orléans : on l'avait persuadé d'essayer quelque chose présenté comme une *bouillabaisse créole.* La chose avait été suffisamment éprouvante pour l'amener à demander au serveur quels en étaient les ingrédients : de la farine, lui avait-on répondu, des huîtres, de la margarine et du bouillon de poulet. Étrange mélange pour un ragoût de poisson. Aussi s'était-il promis de goûter un jour une authentique bouillabaisse. Une raison supplémentaire de revenir à Marseille, cette ville qu'il se prenait à aimer de plus en plus.

Sans s'en rendre compte, il s'était approché d'un des étals, suffisamment pour éveiller l'instinct de vendeuse de sa propriétaire, une imposante matrone au visage hâlé par les intempéries, coiffée d'une casquette de base-ball délavée et portant de gros gants en caoutchouc.

— Eh, monsieur, rugit-elle dans sa direction, regardez comme il est beau ce loup !

Un sourire fendant son visage rougeaud, elle saisit un bar magnifique et le brandit devant Sam qui commit l'erreur de lui rendre son sourire en hochant la tête. Sans lui laisser le temps de l'arrêter, elle avait empoigné un couteau, éventré le loup avec une précision et une rapidité terrifiantes puis commencé à l'envelopper dans un papier. Ce n'était manifestement pas le genre de femme avec qui on discute ; Sam acheta le poisson.

En repartant vers l'hôtel, son paquet humide sous le bras, il récapitula la recette que la femme lui avait donnée. Si simple, avait-elle dit, que même un homme comme vous peut la réussir : faites deux profondes entailles de chaque côté de votre loup et mettez-y deux ou trois petites branches de fenouil ; badigeonnez d'huile d'olive et faites griller chaque face six ou sept minutes ; puis posez votre poisson sur un lit de branches de fenouil séchées dans un plat allant au feu ; faites chauffer une louche d'armagnac, enflammez-le et versez sur le plat ; le fenouil flambe et son arôme parfume le poisson.

— Une merveille, avait-elle assuré.

Il atteignait le hall de l'hôtel quand son portable se mit à sonner.

— Où êtes-vous passé? s'inquiétait Philippe. Ah, vous voilà... je vous vois, ajouta-t-il en faisant de grands signes à Sam depuis la table où il était installé devant un café et une pile de journaux.

— Je reviens tout de suite, il faut d'abord que je me débarrasse de ce poisson, expliqua Sam.

— Bien sûr, répondit Philippe sans manifester aucune surprise, comme si la vue d'un homme en costume de ville, revenant à son hôtel un gros poisson mort sous le bras, était un spectacle tout naturel. Sophie descend.

Tenant à deux mains sa prise devant lui, Sam se dirigea vers le bureau du concierge.

— Mes compliments au chef, dit-il en déposant le poisson sur le comptoir. J'aimerais qu'il prenne ce loup que je viens d'acheter au marché.

Le concierge inclina la tête en souriant.

— Certainement, monsieur. Comme c'est aimable à vous. Je vais veiller à ce qu'on le lui remette immédiatement. Ce sera tout, monsieur?

Sam alla rejoindre les autres, saluant mentalement le concierge pour son sang-froid. Jeeves aurait été fier de lui.

— J'ai une idée, annonça-t-il sans autre forme de procès. Mais, auparavant, permettez-moi de revenir sur les circonstances. Arrêtez-moi si vous n'êtes pas d'accord sur un point. Nous avons maintenant la quasi-certitude que le vin volé se trouve dans la cave; pour preuve, les empreintes de Reboul. Nous pourrions donc dénoncer celui-ci et rentrer chez nous. Que se passerait-il alors? La police lui tomberait dessus, et sur Vial, puis les avocats interviendraient. Si Reboul

213

a brouillé les pistes – et je suis absolument convaincu qu'il n'aura pas manqué de le faire –, nous pouvons être sûrs que toute cette histoire ne sera pas élucidée avant des mois, des années peut-être. En attendant, le vin – c'est-à-dire la preuve – sera mis sous scellés. De plus, on agira probablement sur la presse afin d'empêcher Philippe de parler d'une affaire délicate impliquant la réputation d'un notable. On peut compter sur les avocats de Reboul pour y veiller, je le parierais. (Sam marqua un temps pour les laisser réfléchir.) Pas de questions pour l'instant ? (Sophie ne dit rien. Quant à Philippe, l'air songeur, il se mordillait la lèvre inférieure.) Aucun de nous, reprit alors Sam, ne semble avoir prévu que Reboul et Vial s'avéreraient être plutôt des braves types, que nous les aimerions bien et que nous ne voudrions pas qu'ils aient des ennuis qui, de surcroît, les conduiraient peut-être en prison. Je n'ai pas raison, Sophie ?

— Ce serait une honte, en effet, opina Sophie.

— Je le pense aussi. (Sam se frotta les yeux. Il commençait à ressentir le manque de sommeil.) Bon. J'ai passé une bonne partie de la nuit à y réfléchir et je crois que mon idée pourrait marcher. En tout cas, elle vaut la peine d'être tentée parce qu'elle présente beaucoup d'avantages. (Sam se mit à compter sur ses doigts.) Un, elle tire d'affaire Reboul et Vial. Deux, elle fournit à Philippe la matière d'un autre article, peut-être meilleur – une énigme et il en serait au centre. Trois, elle signifie que Sophie et moi aurons accompli notre travail pour les assurances Knox puisque nous aurons retrouvé la trace du vin. Jusqu'à maintenant, nous n'avons commis aucun délit sérieux – tout au plus, peut-être, une innocente présentation légèrement erronée des faits. En revanche, ce à quoi je pense est parfaitement illégal.

Philippe avait repris sa posture préférée : perché au bord de son siège, ses pieds battant la mesure.

— Illégal en quoi ?

— Je songe à voler le vin.

— Mais c'est fou, cette idée ! s'esclaffa Sophie en secouant la tête.

— Une minute, fit Philippe en levant la main. (Penché en avant, il regardait autour de lui avec une expression de parfait conspirateur. En l'observant, n'importe qui aurait aussitôt vu en lui un homme évoquant un secret coupable. Il chuchotait.) Vous avez trouvé comment vous y prendre ?

— Absolument.

— Mais, Sam, protesta Sophie qui ne riait plus, nous ferions des suspects évidents. Reboul parle à la police de ce couple étrange qui passe des jours dans sa cave, on nous découvre aussitôt et ce n'est plus lui qui se retrouve en prison, mais nous ! Non ?

— Dans ce cas nous soutiendrons, répliqua Sam, que nous ne faisions en l'occurrence que récupérer des biens volés pour le compte d'une compagnie d'assurances internationale hautement respectable. Avec des méthodes pas très orthodoxes, voilà tout. Mais, plus important, Reboul proclamera-t-il : « On m'a volé du vin que j'ai moi-même volé » ? Je ne le crois pas. Si bons que soient ses avocats, il ne tiendra pas à avoir Interpol sur le dos. Non, je suis pratiquement certain qu'il restera tranquille.

Philippe cessa de se mordiller la lèvre pour reprendre du café.

— Sam, dit-il, vous avez parlé d'un article plus sensationnel.

Il regarda Sophie et s'empressa d'ajouter :

— Bien sûr, dans le cas où nous déciderions d'adopter cette solution.

— En effet. Tout commencerait par le vieux truc de la dénonciation anonyme. Vous avez déjà dû en recevoir des tas : le mobile est tantôt la vengeance, tantôt le remords, tantôt simplement la malveillance. Bref, vous recevez un appel d'un inconnu qui refuse de s'identifier ; il vous parle d'une cachette extraordinaire dans un endroit perdu – nous y reviendrons plus tard – où est entreposé du vin, du vin volé, vous affirme-t-il. Peut-être volé par lui et dont il n'arrive pas à se débarrasser, mais il n'entre pas dans les détails et vous livre juste les indications qui vous permettront de trouver la cachette. Vous vous y rendez, bien que vous ne croyiez pas vraiment à son histoire. Et, surprise, vous découvrez bien le vin là où votre interlocuteur anonyme vous a envoyé. Voilà le premier chapitre de votre récit.

Philippe hocha lentement la tête.

— Pas mal comme début. Et je crois deviner où cela nous mène.

— Je n'en doute pas. Vous enquêtez, vous alertez tous vos contacts et, peu à peu, d'un article à l'autre, vous remontez une piste qui vous conduit à Los Angeles où vous interviewez Danny Roth sur les circonstances du vol de son vin : le réveillon de Noël, le gardien complice, l'ambulance, toute l'histoire. Cette partie-là est claire. L'autre partie – qui concerne l'auteur du vol – demeure une énigme ; Reboul et Vial n'y joueraient aucun rôle. Qu'en pensez-vous ? demanda Sam en regardant tour à tour Sophie puis Philippe.

— J'aime bien, dit Philippe. Ça pourrait faire une grande série, comme un feuilleton télévisé, ajouta-t-il, ses pieds entamant une petite gigue.

Les deux hommes se tournèrent vers Sophie.

La convaincre que le cambriolage représentait pour eux la meilleure solution ne fut pas facile. Elle tenta de soutenir que chacun pourrait simplement oublier tout cela et rentrer chez soi, mais Sam lui rappela que c'était trop tard : il avait prévenu Elena Morales. Les assurances Knox savaient déjà qu'on avait retrouvé le vin et ne s'arrêteraient pas là, avec ou sans Sam. Après une longue discussion, ils finirent par se mettre d'accord : ils voleraient le vin.

Philippe résolut le problème de la cachette. Sa grand-mère possédait autrefois une ferme et quelques arpents de terre dans les Claparèdes, une région isolée du Luberon. Philippe, enfant, y passait ses vacances, une agréable tradition familiale qui avait pris fin avec la mort de la vieille dame. Elle n'avait malheureusement pas laissé de testament, ce qui provoqua – comme fréquemment en France – une âpre querelle au sein de la famille dont chaque membre croyait détenir des droits sur la propriété. Les chamailleries duraient depuis maintenant treize ans sans qu'on en vît poindre la fin et, pendant ce temps, la ferme, inhabitée, était dans un triste état. Aucun des héritiers présomptifs n'était disposé à payer pour entretenir un bien qui pourrait revenir en fin de compte à un autre – à une vieille crapule de cousin, par exemple, ou à la tante Hortense que tout le monde détestait. Outre sa situation extrêmement éloignée, expliqua Philippe, la propriété avait l'avantage de posséder une cave de bonne taille où le vin ne risquerait pas de s'abîmer.

— Cela me paraît idéal, approuva Sam. Pouvez-vous y entrer ?

— La clé est cachée sous une dalle derrière le puits et le volet de la fenêtre de la cuisine n'a jamais fermé. Ce ne sera pas un problème d'y accéder.

— Parfait. Problème suivant, celui du transport : à mon avis, votre scooter ne suffira pas. Vous êtes d'accord pour conduire une camionnette ?

— Tous les Français sont capables de conduire n'importe quoi, s'indigna Philippe en se redressant.

— C'est bien ce que je pensais. Donc, dès cet après-midi, nous en louerons une. (Sam se tourna vers Sophie.) C'est ici que je vais avoir besoin de votre aide. Il faut que je pénètre dans la maison avant qu'elle soit bouclée pour la nuit. J'invoquerai comme excuse pour traîner dans les parages la nécessité de prendre des photos de référence et le fait que le meilleur moment, c'est le soir, quand la lumière est vraiment bonne. Dès que l'occasion se présentera, je disparaîtrai. Si Vial ou qui que ce soit d'autre s'inquiète de moi, vous direz que j'avais un rendez-vous en ville. Vous continuerez à prendre des photos

218

jusqu'à ce que le personnel commence à partir, et puis vous rentrerez à l'hôtel.

— Et ensuite ? interrogea Sophie en fronçant les sourcils.

— Allons déjeuner. Je vous expliquerai.

À cette évocation, Philippe se leva en se frottant les mains.

— Juste une question, s'enquit-il. Quand ?

— Dans six heures environ, répondit Sam après avoir consulté sa montre.

21.

Après le déjeuner ils se consacrèrent à la mise au point du plan de la soirée : Philippe loua une camionnette blanche parfaitement anonyme – une vraie Ferrari de plombier, dit-il –, assez grande pour contenir une cinquantaine de caisses de vin ; Sophie prévint Vial que Sam et elle allaient venir faire des photos des jardins pendant une heure ou deux en fin de journée, après quoi ils pourraient prendre un verre ensemble, ce que Vial n'eut pas besoin de s'entendre dire deux fois.

Quant à Sam, il passa l'après-midi dans un état d'inactivité forcée, n'ayant plus grand-chose d'autre à faire que d'espérer que tout se passerait bien : à ce stade crucial, il avait besoin que la chance soit de son côté. Il se doucha pour la seconde fois de la journée et passa une tenue plus adaptée à un cambriolage nocturne : pantalon, T-shirt et caban, le tout de la même couleur bleu foncé. Il fourra le reste dans sa valise, vérifia et revérifia les piles de son appareil photo ainsi que celles de sa torche miniature et rechargea son portable. Il relut une énième fois la liste des vins volés, la remit dans sa poche, arpenta sa terrasse sans accorder un regard au panorama, bref, pour un peu, il se serait tourné les pouces. Il était plus que prêt à se lancer.

Le soleil amorçait son plongeon quotidien vers l'horizon et, lorsque Sophie et Sam gravirent les premières marches du perron qui menait au palais du Pharo, les rayons obliques de la lumière dorée baignaient les lieux d'un éclairage de rêve pour un photographe. Ils n'avaient même pas eu le temps de presser le bouton de la sonnette que la porte d'entrée s'ouvrit et que la gouvernante, une femme élégante aux cheveux gris vêtue d'une robe en toile aux plis impeccables, sortit pour les accueillir.

— N'hésitez surtout pas si vous avez besoin de quoi que ce soit.

— Nous serons presque tout le temps dehors, la remercia Sophie, la lumière est tellement belle avant le coucher du soleil. Nous aimerions simplement prendre une dernière photo par la grande fenêtre du salon – vous savez, juste avant que le soleil disparaisse dans la mer. M. Reboul nous avait reçus à ce moment-là, et c'était vraiment magnifique.

— Je laisserai la porte de la terrasse ouverte, acquiesça la gouvernante. Vous n'aurez pas l'occasion de voir M. Reboul ce soir, j'en suis navrée, mais il sera de retour demain et je suis sûre qu'il sera ravi que vous lui montriez les photographies, ajouta-t-elle avec un grand sourire et un geste royal de la main avant de tourner les talons et de rentrer dans la maison.

— Quelle chance, dit Sam en contournant les bâtiments pour se diriger vers les jardins surplombant la mer. Demain, ç'aurait été trop tard : j'imagine en effet qu'il y a toujours un comité d'accueil quand Reboul revient de voyage. (Il tira son appareil de sa poche et l'ouvrit.) Elle fait vraiment grande dame pour une gouvernante, n'est-ce pas ?

Sophie leva les yeux vers l'imposante façade : deux étages et d'innombrables fenêtres.

— Quelle magnifique demeure ! (Elle s'arrêta et posa une main sur le bras de Sam.) Sam, je suis nerveuse.

Il lui prit la main en souriant.

— Moi aussi, mais c'est nécessaire car, quand on n'est pas nerveux, on devient négligent. Écoutez, vous avez été formidable depuis le début et c'est presque fini. Encore un effort, le dernier. (Il passa un bras sous le sien et l'entraîna dans le parc, sa main libre braquant l'appareil photo sur le panorama.) À vous maintenant de prendre les choses en main. Dites-moi par où commencer et n'oubliez pas de me rappeler ce que vous voulez que je photographie. Agitez les bras, tapez du pied, arrachez-vous les cheveux, en un mot jouez les réalisatrices en pleine création. Vous aurez un public, rassurez-vous. Je suis bien sûr que, de l'intérieur, nos amis ne vous quitteront pas des yeux pour s'assurer que vous ne dérangez pas les massifs de lavande.

Ils photographièrent la terrasse, les jardins à l'élégance un peu guindée, la vue à cent quatre-vingts degrés, sans cesser de suivre la lente descente du soleil vers la mer. Juste avant de terminer, Sam s'interrompit; son téléphone à l'oreille, il fit semblant de prendre un appel puis remit son portable dans sa poche.

— Mon prétexte pour partir, expliqua-t-il à Sophie tout en lui tendant l'appareil photo. Entrons pour la vue par la grande baie. C'est à ce moment que je disparais. Saurez-vous prendre des photos en croisant les doigts?

Ils pénétrèrent dans la maison par la terrasse et traversèrent un petit hall jusqu'à la porte du grand salon. Elle était ouverte. Ils firent quelques pas dans la pièce avant de se rendre compte qu'ils n'étaient pas seuls.

— Je suis certaine que vous avez pris de superbes photographies. La soirée est particulièrement magnifique.

La gouvernante se leva de derrière un petit bureau en bois sculpté sur lequel elle prenait des notes et s'avança vers eux, gracieuse et souriante – la dernière personne pourtant que Sam souhaitait voir.

— Oh, vous êtes là, j'en suis ravi, se réjouit-il en réussissant à arborer un sourire tout aussi gracieux. On vient de me téléphoner pour me rappeler un rendez-vous à Marseille – je suis d'ailleurs en retard –, mais je tenais à vous remercier avant de partir. Sophie se chargera des deux ou trois derniers clichés.

La gouvernante afficha une expression diplomatique qui parvenait à évoquer tout à la fois la déception et la compréhension.

— Quel dommage que vous soyez pressé. (Elle s'approcha de la porte.) Laissez-moi vous raccompagner.

— Non, non, non, fit Sam avec un geste de protestation. Je vous en prie, ne vous donnez pas cette peine. Je retrouverai mon chemin. Encore merci.

Sur quoi, il s'empressa de sortir en refermant la porte derrière lui.

Il traversa le grand hall d'entrée, se glissa dans la salle à manger, longea sur la pointe des pieds la table de vingt couverts avec ses fauteuils tapissés et, contournant la desserte, atteignit la porte battante qui donnait sur la cuisine. Il colla son oreille contre l'entrebâillement et, ne percevant que le ronronnement assourdi des réfrigérateurs, il entra ; il passa devant l'étincelant déploiement d'ustensiles de cuivre et d'acier inoxydable puis se coula dans l'arrière-cuisine. Devant lui, la porte de l'escalier menant à la cave : fermée à clé, comme il s'y attendait. Il regarda sa montre : six heures et quart. Sophie avait rendez-vous avec Vial à six heures et demie pour l'entraîner au bar de l'hôtel.

Sam, se préparant à une demi-heure inconfortable, ouvrit la porte du monte-charge. Comment l'avait donc décrit Vial ? « L'ascenseur des bouteilles. Aucune turbulence. Le vin arrive détendu. » Pourvu qu'il en soit de même pour lui.

En fait, l'ascenseur des bouteilles n'était guère plus qu'une longue caisse qu'on faisait fonctionner à la main grâce à un bon vieux système de cordes et de poulies. Malgré tout, du beau travail assez solide pour supporter le poids d'une demi-douzaine de caisses de vin et assez haut pour permettre de les entasser les unes sur les autres. Un peu en forme de cercueil. Sam s'efforça de ne pas trop y penser quand il s'introduisit, tant bien que mal, dans l'espace étroit ; le bruit de la poulie crissant sous son poids le fit tressaillir. Il referma la porte et prit une profonde inspiration. L'obscurité autour de lui conservait un faible relent de bouchon moisi et de vin éventé, souvenir sans doute d'une bouteille qui avait dû fuir durant le trajet. Avec d'infinies précautions il fit glisser la corde de la poulie entre ses mains pour descendre lentement, jusqu'au moment où il ressentit le léger choc annonçant qu'il était arrivé au niveau de la cave.

Florian Vial lissa une dernière fois les pointes de sa moustache et traversa la cave jusqu'à l'escalier conduisant à la maison ; il passa à moins de deux mètres de la silhouette recroquevillée dans le monte-charge. Il était d'autant plus impatient de revoir Sophie qu'elle l'avait prévenu de l'absence de Sam. Un charmant garçon, certes, mais Vial préférait de beaucoup l'intimité d'un tête-à-tête avec Sophie ; autre avantage, ils parleraient français, une langue faite pour les propos galants.

Les pas de Vial résonnèrent sur les dalles de la cave ; quelques minutes, et il aurait gravi l'escalier et serait entré dans la maison, calcula Sam qui commençait à souffrir de claustrophobie et des premiers élancements d'une crampe. Il avait l'impression que les muscles de sa cuisse étaient sur le point de claquer et il était convaincu qu'une écharde s'était fichée dans son postérieur. Mais il avait réussi : la cave serait son domaine la nuit durant et les heures d'efforts physiques qui l'attendaient seraient un soulagement après l'épreuve du monte-charge.

Un dernier crissement de la poulie et il n'eut plus qu'à s'extraire de sa prison. Il resta quelques instants dans le noir pour se dégourdir les articulations. Même si le risque d'être repéré était minime, il avait décidé d'attendre deux bonnes heures avant d'allumer les lumières et de se mettre au travail : le moment où la quasi-totalité des Marseillais observeraient le rite sacré du dîner.

En se guidant grâce au mince faisceau de sa torche miniature, il se dirigea vers le fond de la cave qu'il retrouva exactement dans l'état dont il se souvenait : le chariot de golf garé à sa place, près de la porte, et les cartons vides marqués « Domaine Reboul » entassés dans le coin. Il faudrait les remplacer par des emballages anonymes, mais on disposerait plus tard de tout le temps nécessaire. Il entra dans le bureau de Vial, s'installa dans le fauteuil de Vial, posa les pieds sur le bureau de Vial. Philippe répondit dès la première sonnerie.

— Pour l'instant, déclara Sam, tout baigne.

— Vous êtes dans la cave ?

— Je suis dans la cave. Dans à peu près deux heures, je commencerai à emballer le vin. Revoyons une dernière fois le plan.

— Bon. Une fois les bouteilles dans les cartons, vous m'appelez. La fourgonnette est garée près du

Vieux Port et, à cette heure, il ne me faudra pas plus de trois minutes pour arriver au palais.

— Parfait. Je m'assurerai que les grilles soient ouvertes. N'oubliez pas d'éteindre vos phares avant de vous engager dans l'allée. Je ne veux pas que quelqu'un risque de voir de la lumière depuis la maison. Prenez à gauche au bout de l'allée. Je vous ferai signe avec ma torche pour vous guider jusqu'à la zone de chargement. Les cartons seront empilés devant l'entrée de la cave. En cinq minutes tout au plus, nous les aurons chargés dans la camionnette. Et puis nous filerons.

— *Roger*.

— Roger qui ?

— C'est du jargon de l'armée. J'ai entendu ça dans un feuilleton à la télé.

Sam leva les yeux au ciel : il avait oublié la passion de Philippe pour tout ce qui était militaire.

— Oh, encore une chose. Combien de temps pour arriver à destination ?

— La camionnette n'est pas un bolide, mais une bonne partie du trajet emprunte l'autoroute. Je pense que ce sera l'affaire d'une heure et demie, guère plus.

— OK. Tout est paré. À tout à l'heure.

Sam se sentait plus confiant maintenant que la fin approchait. Bien sûr, quelque chose pouvait tourner mal ; c'était toujours possible. Mais, en réfléchissant, il restait plutôt optimiste.

Il était en effet presque totalement isolé du monde extérieur : pas de fenêtre dans la cave, donc aucun rai de lumière ne risquant de révéler sa présence ; on ne risquait pas non plus de l'entendre : les murs épais, les plafonds massifs et, au-dessus de tout cela, une couche de plusieurs mètres de terre assuraient une parfaite insonorisation. En outre, atout supplémentaire, le système d'alarme qu'il avait examiné au cours des visites précédentes ne se déclenchait que si quelqu'un essayait d'entrer et non de sortir. La deuxième cave – avec celle de Roth – dont la protection électronique ne correspondait pas tout à fait à ce qu'elle aurait dû être. Il nota dans sa tête d'en parler à Elena qui se ferait un plaisir, à coup sûr, de reprocher à Roth les insuffisances de son système de sécurité.

Elena occupa agréablement ses pensées tandis qu'il attendait, assis dans le noir, puis il se prit à songer à l'avenir. Comment réagirait-elle devant ses méthodes si peu orthodoxes ? Sur le plan personnel, elle pourrait fermer les yeux. Sur le plan professionnel, elle aurait sans doute quelques problèmes et n'hésiterait pas à lui en faire supporter la charge. Mais pas longtemps. Dans les assurances, comme dans la plupart des entreprises où on manie de grosses sommes d'argent, la fin a tendance à justifier les moyens, se rassura-t-il.

Il avait dû s'assoupir ; sa montre indiquait presque dix heures, l'heure de se mettre au travail. Il se leva, se frotta les yeux et trouva le commutateur près de la porte principale. De nuit, la cave semblait encore plus vaste et plus mystérieuse que dans la journée lorsque le soleil entrait à flots par les portes ouvertes. À présent, les plafonds voûtés étaient noyés d'ombre et les flaques de lumière projetées par les lampes fixées aux poutres paraissaient se perdre dans le lointain.

Sam chargea un tas de cartons vides dans le chariot et démarra ; les pneus vibrèrent sur les dalles de l'allée qui séparait les rouges des blancs. Premier arrêt, la rue des Merveilles, l'adresse prestigieuse où se côtoyaient château-lafite et château-latour. Il prit la liste des vins de Roth et la posa sur le siège du passager.

Latour 61, 98 bouteilles. Il longea les rangées de casiers en lisant les plaques d'ardoise sur lesquelles étaient inscrits à la craie les millésimes jusqu'à la date 1961. Estimant le nombre des bouteilles à au moins trois cents, il commença à emplir les cartons vides sans aucun moyen de savoir si les quatre-vingt-dix-huit bouteilles qu'il prenait appartenaient bien à Roth. Mais, se dit-il, Roth ne se plaindrait pas. Il trouva rapidement son rythme : sortir deux bouteilles du casier, vérifier pour plus de sûreté le millésime sur l'étiquette, glisser les bouteilles dans leur compartiment individuel, se redresser, retourner au casier, puis déposer chaque carton plein sur le plateau situé derrière les sièges du chariot.

S'interrompant pour consulter sa montre, il calcula qu'il lui avait fallu plus de trente minutes pour emballer moins de cent bouteilles de latour : à ce train-là, il en avait encore pour trois heures, plus les allers et retours jusqu'au chariot ; il aurait donc terminé entre deux et trois heures du matin. Il se demanda comment Philippe parviendrait à maîtriser son impatience.

Lafite 53, 76 bouteilles. Tout en répétant les manœuvres et les navettes entre les casiers et le chariot, il se remémorait certains commentaires de Florian Vial : concernant le lafite, par exemple, auquel il prodiguait des compliments extravagants couverts en partie par le bruit des baisers qu'il envoyait en même temps du bout des doigts ; malgré tout, Sam avait réussi à entendre quelques-unes des descriptions hyperboliques empruntées par Vial à ses confrères experts en vin. Sam se souvenait notamment d'un morceau de bravoure qui, après avoir débuté en douceur avec « ferme mais souple, doux mais avec un rien d'agressivité », était passé à « de la finesse, de l'arôme et un parfum pénétrant » avec un mélange « d'élégance, d'autorité et de classe qui s'épanouissait en bouche dans toute sa splendeur » pour s'achever sur cette apothéose : « si grandiose et si sublime qu'il constitue un véritable symposium de tous les autres vins ». Tout cela, Vial l'avait cité en anglais et de mémoire. Son opinion personnelle, qui se situait à un niveau plus terre à terre, se résumait ainsi : « Au bout du compte, le meilleur vin est le vin qu'on aime. »

Figeac 82, 110 bouteilles. Sam, tout en vérifiant et emballant les bouteilles, essaya de se représenter le château, ses colonnades, son avenue bordée de magnifiques arbres centenaires, son allée de gravier. Sophie lui avait raconté que le grand-père de l'actuel propriétaire considérait Figeac comme une maison de vacances, qu'il n'y venait que rarement de Paris et laissait le château fermé le reste de l'année. Sam avait du mal à imaginer une telle attitude. Il secoua la tête et, s'attaquant à un nouveau carton, pensa soudain qu'emballer des lingots devait ressembler un peu à ce qu'il était en train de faire. Pour combien de dollars avait-il manipulés jusque-là ? 1 million ? 2 millions ?

Pétrus 70, 48 bouteilles, 5 magnums. Comme dans le reportage du *L.A. Times*, se dit Sam en déposant le premier magnum dans son nid de carton. Était-ce celui que Danny berçait sur la photographie ? Qui avait montré l'article à Reboul ? Qui avait conçu et exécuté le coup ? De vrais professionnels en tout cas, estima Sam. Bookman lui-même n'avait jamais vu un casse aussi proche de la perfection. Dommage, vraiment, de ne pas avoir l'occasion de s'asseoir un jour avec Reboul pour prendre un verre et combler quelques lacunes.

Margaux 83, 140 bouteilles. Autre question : qui les avait achetées pour Roth ? Quelqu'un à coup sûr qui connaissait son affaire. La collection ne comportait pas une seule bouteille douteuse. Rien que du vin de la plus haute qualité. Lors de ses recherches avant de quitter L.A., Sam avait noté avec stupéfaction la spectaculaire hausse des prix des bordeaux premiers crus pour les millésimes des années 1980 : entre 2001 et 2006, par exemple, le margaux avait augmenté de cinquante-huit pour cent et le lafite de cent vingt-trois pour cent. Pas étonnant que Roth soit dans tous ses états. Dieu sait ce que cela lui coûterait aujourd'hui de reconstituer sa cave.

Les cartons se faisaient de plus en plus lourds, les trajets jusqu'au chariot ne laissaient que peu de répit à son dos endolori. Sam rêvait d'un massage et d'un verre.

Yquem 75, 36 bouteilles. Les trois derniers cartons d'un vin qui faisait jaillir le meilleur (ou le pire) sous la plume des spécialistes du vin, de ceux qui ont pour mission dans la vie de décrire l'indescriptible : « riche, avec de la matière et du soyeux », « volup-tueux et équilibré ». Sam avait déjà lu au moins mille fois ces formules – qui évoquaient infailliblement pour lui non pas un verre de vin mais les femmes plantureuses que Rubens aimait à peindre. Avec un profond sentiment de volupté, il chargea le dernier carton sur le chariot et alla chercher ceux qu'il avait empilés près de la porte de la cave.

Il touchait presque au but. Il éteignit les lumières et entrebâilla la porte. Après l'atmosphère humide de la cave, l'air de la nuit lui parut frais et pur, et il en inspira une profonde et satisfaisante goulée en contemplant l'allée. Les grilles se découpaient dans la lueur du boulevard. Une voiture passa, remontant la colline, puis ce fut le silence. Marseille semblait endormie. Il était trois heures et quart du matin.

22.

Philippe, dans sa camionnette blanche, prit l'appel de Sam qui l'avait tiré d'un demi-sommeil en étouffant à grand-peine un bâillement.

— Debout là-dedans ! lança Sam. Il est temps de se mettre au travail. N'oubliez pas d'éteindre vos phares avant de vous engager dans l'allée.

Il entendit le moteur qui démarrait et Philippe qui se raclait la gorge.

— Trois minutes, mon général, répondit Philippe d'un ton qui se voulait alerte. J'apporte le tire-bouchon. Terminé.

Sam secoua la tête en souriant. Quand tout serait fini, il chercherait dans une brocante une décoration militaire ancienne pour l'épingler sur la poitrine de Philippe en récompense de ses services exceptionnels ; il l'aurait bien méritée. Et, selon toute probabilité, il la porterait.

Sam traversa l'allée et se posta à l'ombre de la statue de l'impératrice Eugénie. Derrière lui se dressait la masse du palais endormi où seules brillaient les deux lumières du porche. En priant silencieusement l'impératrice de lui pardonner sa conduite scandaleuse, il chercha à tâtons sous les plis de la robe de marbre le bouton qu'avait utilisé le jeune Dominique pour actionner l'ouverture de la grille. Dès qu'il entendit le bruit du moteur qui peinait dans la montée, il le pressa et les grilles s'écartèrent lentement. « Merci, Majesté. »

Philippe, se guidant sur le point lumineux de la torche de Sam, s'arrêta près des cartons empilés devant la porte de la cave. Pour cette expédition nocturne, il s'était vêtu de noir de la tête aux pieds – véritable ninja, un peu corpulent –, et portait la cagoule de laine élue par les terroristes et les auteurs de hold-up.

— J'ai vérifié, chuchota-t-il. Tout est OK. Je n'ai pas été suivi.

Tandis qu'ils chargeaient les cartons, Sam fit remarquer, avec tout le tact possible, que la cagoule risquait d'attirer pendant le trajet une attention inopportune. Philippe, dissimulant de son mieux son désappointement, la retira avant de s'installer au volant.

— Merde ! La grille est fermée.

— Minuterie automatique, expliqua Sam. Prenez-moi au pied de la statue.

Ils franchirent les grilles sans hâte, Philippe alluma les phares et la fourgonnette descendit les rues désertes, suivant les panneaux qui les feraient sortir de Marseille et gagner l'autoroute.

Sam s'écroula sur son siège, grisé par un irrésistible sentiment de soulagement. La partie sérieuse de l'opération était terminée. Régler les détails suivants serait amusant.

— Avez-vous parlé à Sophie ? Elle va bien ?

— *Très* bien même. Elle m'a appelé tard hier soir. Elle a pris un verre à l'hôtel avec Vial qui l'a ensuite emmenée dîner au Petit Nice, sur la corniche, dont le chef vient de recevoir sa troisième étoile au Michelin : il a la réputation de préparer le poisson comme un magicien. Il faudra que j'y aille. Bref, elle m'a dit qu'elle avait passé une excellente soirée. Je crois qu'elle aime beaucoup Vial. Je lui ai promis de lui téléphoner pendant la nuit s'il y avait un problème ou demain matin si tout se passait bien.

Philippe prit un ticket au péage ; ils étaient seuls sur le large ruban de l'autoroute se déployant vers le nord.

— Elle est sympa, Sophie, un peu autoritaire par moments, mais sympa. Avant cette histoire, je ne la connaissais pas vraiment : vous savez comment cela se passe entre cousins. Ils ont beau être de la famille, on ne les voit qu'aux mariages et aux enterrements où chacun se présente sous son meilleur jour. Ce doit être la même chose en Amérique, non ?

Pas de réponse. Sam, affalé sur son siège, la tête ballante, les bras pendant le long du corps, avait commencé à rattraper deux nuits sans sommeil. Philippe conduisit donc en silence, l'esprit tout occupé par son scoop et par l'agréable perspective d'un voyage à Los Angeles où il interviewerait Danny Roth. À l'instar de nombreux Français, l'idée de découvrir la Californie le fascinait : les surfeurs, les

Hell's Angels, les tomates carrées, les baleines, les incendies de forêt, les coulées de boue, Big Sur, San Francisco, Hollywood, tout était possible dans un pays pareil. Ils avaient même un gouverneur européen.

Il quitta l'autoroute à Aix pour prendre la petite route qui, franchissant la Durance avant de s'enfoncer dans le Luberon, menait à Rognes. Sa dernière visite datait déjà et il fut frappé de constater combien la campagne était déserte et tranquille après les foules et le tumulte dont il avait l'habitude à Marseille, et combien la nuit était noire. Il traversa les villages de Cadenet et de Lourmarin, tous deux profondément endormis, et s'engagea sur l'étroite route en lacets qui, par la montagne, les conduirait sur le versant nord du Luberon. Les pentes raides et rocheuses bordaient de si près le côté gauche de la chaussée qu'on avait l'impression de rouler dans un tunnel tortueux aux parois dentelées. Loin de tout, ce n'était certainement pas l'endroit où tomber en panne.

Sam, qui durant tout ce temps n'avait cessé de ronfler doucement, fut brusquement tiré de son sommeil quand la camionnette tourna sur le chemin de terre creusé de profondes ornières qui menait à la vieille maison. Philippe arrêta le moteur mais laissa les phares allumés. Il s'était garé en face d'un puits en ruine dont il ne restait plus que les vestiges d'un mur de pierre circulaire soutenant une armature en fer rouillée de guingois d'où pendait une chaîne. Après quelques tentatives infructueuses ponctuées de jurons, il finit par trouver la pierre dissimulant la vénérable clé longue de quinze centimètres qui ouvrait la porte d'entrée.

Sam le suivit à l'intérieur, et nouveau festival de jurons : Philippe se débattait au milieu de guirlandes de toiles d'araignée pour atteindre la boîte à fusibles et le compteur électrique. Avec un grognement de triomphe, il abaissa enfin la manette, ce qui produisit un filet de lumière dans l'ampoule de quarante watts suspendue par un fil au plafond.

— Et voilà ! Bienvenue au château familial ! (Il enleva une toile d'araignée de son nez et donna une grande claque sur l'épaule de Sam.) Vous avez bien dormi ?

— Comme un bébé.

Sam se sentait étonnamment requinqué après son petit somme ; les idées claires et de bonne humeur, comme toujours quand une affaire s'était bien passée. Il suivit Philippe à travers des petites pièces basses de plafond, tapissées de poussière et vides à l'exception çà et là d'une chaise boiteuse poussée dans un coin.

— Que sont devenus les meubles ?

Philippe s'était arrêté dans une cuisine, certainement équipée jadis, mais désormais dépourvue de tout ustensile. Un nid d'oiseau était tombé par la cheminée dans l'âtre de pierre. Encore posé sur la tablette, un calendrier des pompiers de Cavaillon, aux couleurs fanées et couvert de taches, datant de 1995.

— Les meubles ! s'exclama Philippe. Un ou deux étaient vraiment de belles pièces. Mais, à peine ma grand-mère dans son cercueil, les membres de la famille sont arrivés avec un camion de déménagement et ont tout embarqué. Je suis surpris qu'ils aient laissé les ampoules. Ils doivent encore discuter pour décider qui hérite de quoi. Mais au moins ils n'ont pas pu emporter la cave. (Il poussa une petite porte dans un coin et tourna le commutateur, obligeant les créatures qui occupaient les lieux à se réfugier dans leurs trous.) Il faudra mettre de la mort-aux-rats, sinon ils rongeront les étiquettes des bouteilles. Je crois que c'est la vieille colle qu'ils aiment.

Pas plus que le reste de la maison, la cave n'avait échappé à l'attention rapace de la famille ; absolument toutes les bouteilles avaient disparu. Comparé à la vaste et splendide cave de Reboul, l'endroit paraissait bien modeste. Un petit escalier menait aux installations de stockage ; elles se bornaient à quelques étagères de vieilles planches reposant sur des barres de fer fichées dans des murs noirs de moisissure ; la couche de gravier qui tapissait le sol était tellement usée qu'elle laissait voir des plaques de terre battue. Mais, comme le fit remarquer Philippe, cette cave, humide et fraîche, était le dernier endroit au monde où l'on penserait découvrir pour 3 millions de dollars de vin.

Apporter les cartons depuis la fourgonnette fut long et d'autant plus pénible que les embrasures des portes et les plafonds semblaient aux yeux de Sam avoir été conçus pour des nains. Était-on plus petit et plus fluet il y a deux cents ans ? Quand ils eurent rangé le dernier carton, les deux hommes s'étaient écorchés les jointures contre le bord rugueux des pierres et ils avaient le dos moulu à force de s'être baissés. Absorbés par leur tâche, ils avaient à peine remarqué qu'entre-temps une nouvelle journée avait commencé.

— Que pensez-vous de cet endroit ? demanda Philippe. Bien que je ne sois pas un campagnard, il me paraît spécial, non ?

Debout devant la maison, ils regardaient vers l'est où le premier rayon de soleil pointait au-dessus de l'horizon. Sam pivota lentement sur trois cent soixante degrés. Aucune autre maison en vue. Ils étaient entourés de champs qui, plus tard dans la saison, se teinteraient de violet, leurs buissons de lavande se dressant telles des rangées de hérissons verdoyants. Et, derrière eux, la masse du Luberon, d'un bleu estompé par la lumière du petit matin.

— Vous savez ? dit Sam. Tout cela nous paraîtra bien plus beau quand nous aurons pris un petit déjeuner. Je n'ai rien mangé depuis hier midi.

Ils roulèrent jusqu'à Apt, trouvèrent un café avec une terrasse au soleil et firent une razzia de croissants dans la boulangerie voisine. On déposa devant eux de gros bols de café crème. Sam ferma les yeux et huma la vapeur embaumée. Il n'y avait qu'en France que ça sentait ainsi : cela tenait certainement au lait français.

— N'oublions pas, mon ami, dit-il, la matinée bien remplie qui nous attend. (Philippe, très occupé par son croissant, haussa un sourcil.) D'abord, quitter l'hôtel avant que Vial ne découvre qu'il lui manque cinq cents bouteilles, et dénicher un endroit où loger, en dehors de Marseille – il faudra donc que je loue une voiture. Ensuite, trouver des cartons anonymes, revenir à la maison de grand-mère, remballer les bouteilles et nous débarrasser des autres cartons. Seulement alors, nous pourrons fêter cela. (Il regarda sa montre et prit son portable.) À votre avis, Sophie est-elle déjà réveillée ?

Non seulement elle l'était, mais elle avait aussi prévu un départ rapide de l'hôtel ; sa valise était déjà bouclée. Elle monta encore d'un cran dans l'estime de Sam.

Philippe déposa Sam devant le bureau de Hertz à l'aéroport en lui donnant rendez-vous au parking à l'entrée de l'autoroute, puis il partit à la recherche de cartons de vin. Un de ses copains avait pour ami un vigneron, vigneron dont les hangars, Philippe en était certain, regorgeaient de cartons.

Au volant de sa Renault de location, Sam se lança dans le flot de la circulation matinale des voitures gagnant Marseille. Il avait oublié que chez tout Français qui se respecte se cache l'âme d'un pilote de formule 1 et il se retrouva en plein cœur d'un Grand Prix d'amateurs – au milieu de petites voitures fonçant sur la route, leurs roues touchant à peine le sol, leurs occupants poursuivant au téléphone des conversations animées tout en fumant et, si d'aventure il leur restait une main libre, tenant le volant. En arrivant, sain et sauf, à l'hôtel, il adressa une prière de remerciements au saint patron des conducteurs étrangers et partit à la recherche de Sophie.

Elle finissait son petit déjeuner, l'air remarquablement détendue pour quelqu'un qui venait de se rendre complice d'un crime.

— Alors ? Comment ça s'est passé ?

— Admirablement. Je vous raconterai dans la voiture. Laissez-moi juste le temps de prendre mes bagages et de régler la note, ensuite nous irons faire un tour. Dans un endroit incroyable.

À huit heures et demie, bien avant que ne débute la journée de travail de Vial au palais, ils sortaient de Marseille.

23.

Tout annonçait une de ces journées de printemps fréquentes en Provence : pas trop chaude, un ciel sans nuages, d'un bleu infini, des champs parsemés de l'écarlate des coquelicots ainsi que les squelettes noircis des pieds de vigne adoucis par le timide verdoiement de leurs feuilles naissantes. Dans la Renault de location de Sam qui suivait la camionnette de Philippe à travers la campagne, l'ambiance était aussi plaisante que le temps : le travail était achevé.

— Maintenant, dit Sam, vous allez pouvoir rentrer à Bordeaux, épouser Arnaud et avoir beaucoup d'enfants. Le mariage est prévu pour quand ?

— En août certainement, au château.

— Je suis invité ?

— Vous viendriez ?

— Bien sûr que je viendrai. Je ne suis jamais allé à un mariage français. Des projets pour la lune de miel ? Je pourrais vous préparer tout un programme à L.A.

— Et vous, riposta Sophie en riant, vous avez des projets ?

— Terminer ici puis retourner à Paris faire mon rapport aux responsables du bureau de Knox.

— Vous êtes sûr ? Que pensez-vous leur dire ?

— Oh, je ne les noierai certainement pas sous les détails. Je m'en tiendrai probablement à la version de Philippe : celle du coup de fil anonyme et de l'intrépide journaliste remontant une piste qui le ramène à Roth. Les agents de Knox ne poseront pas trop de questions dès l'instant qu'ils seront sûrs de ne pas devoir verser 3 millions de dollars.

Devant eux, la fourgonnette de Philippe grimpait poussivement le dernier lacet de la route de montagne menant au plateau et à la vieille maison. Sam avait hâte de le retrouver à L.A., quand il viendrait interviewer Roth. Ils loueraient une vieille Jeep de la Seconde Guerre mondiale, feraient les magasins de surplus de l'armée et s'offriraient peut-être un de ces hommages à la virilité des vrais hommes, une exposition d'armes. Il était curieux d'entendre un Français expliquer rationnellement pourquoi un fusil d'assaut semi-automatique s'impose pour chasser les écureuils.

Pour la seconde fois ce matin-là, Philippe les guida jusqu'à la cave, tenant sous un bras une grosse boîte de raticide et, sous l'autre, un tas de cartons pliés. À eux trois ils eurent remballé les bouteilles en une heure à peine. Sam et Sophie quittèrent alors la cave pour permettre à Philippe de répandre sur le sol une généreuse couche de boulettes mortelles, ce qu'il fit en souhaitant bon appétit aux rats avant de refermer la porte derrière lui.

Il rejoignit ensuite Sophie et Sam qui chargeaient dans la camionnette le dernier des cartons Reboul vides, qui finiraient dans une décharge sur la route de Marseille.

— Eh bien, ça y est, conclut Sam. Sophie et moi n'avons plus maintenant qu'à trouver un endroit où passer la nuit. Vous avez une idée, Philippe ?

Philippe se gratta la tête, délogeant ainsi quelques toiles d'araignée.

— Marseille, où vous risqueriez de vous faire repérer, est hors de question, et rester dans les parages n'est pas indiqué non plus car c'est trop à l'écart et on vous remarquerait. Pourquoi ne pas essayer Aix ? On m'a parlé de la Villa Gallici, une bonne adresse, paraît-il.

C'était le cas : ce charmant petit hôtel se trouvait à deux minutes à pied des cafés et autres délices du cours Mirabeau. Mais Sam, envahi par la fatigue après une telle giclée d'adrénaline, était sur les genoux. Il présenta donc ses excuses à Sophie, monta dans sa chambre et s'écroula tout habillé sur son lit.

Six heures et une douche plus tard, il se sentit suffisamment ragaillardi pour s'aventurer sur la terrasse ombragée de l'hôtel et y prendre une coupe de champagne afin de se réveiller complètement. Il ouvrit son portable et consulta ses messages : Elena demandant où il en était et Axel Schroeder, toujours en quête de renseignements. Il décida de garder Elena pour plus tard et appela Schroeder.

— Axel, c'est Sam.

— Mon cher ami, je commençais à m'inquiéter. J'espère que vous n'avez pas travaillé trop dur, fit-il du ton d'un médecin au chevet d'un malade.

— Vous savez ce que c'est, Axel. Toujours à bêcher une terre ingrate. Mais j'ai eu un coup de chance. (Aucune réaction de Schroeder. Ce n'était d'ailleurs pas nécessaire, sa curiosité étant presque audible.) J'ai retrouvé le vin. En totalité.

— Où est-il ?

— En sûreté.

— Sam, répondit Schroeder après un temps de réflexion, il faut que nous parlions. Il se trouve que je connais deux ou trois personnes qui seraient très, très intéressées.

— Je n'en doute pas.

— Aucun risque, et nous pourrions partager les bénéfices.

— Axel, c'est vous qui avez monté le coup, n'est-ce pas ?

— Soixante pour vous, quarante pour moi. Belle opération.

— Peut-être la prochaine fois, vieille canaille.

— Cela valait la peine d'essayer, mon cher ami, céda Schroeder avec un petit rire. Si vous changez d'avis, vous savez où me joindre.

Sam regarda la terrasse. On avait dressé les tables pour le dîner et il ressentait une irrésistible envie d'un steak bleu accompagné d'un bon rouge. Il allait appeler Sophie pour lui proposer de le rejoindre. Mais d'abord, Elena.

Après l'avoir félicité, elle voulut connaître tous les détails.

— Elena, je n'ai pas envie d'en parler au téléphone. Dans combien de temps peux-tu être ici ?

— N'y pense pas, Sam. Pourquoi crois-tu que Knox entretient en France un bureau plein de Français ? Mais toi, dans combien de temps peux-tu être à Paris ?

— Je compte y être demain en fin de journée.

— Au Montalembert ?

— Oui. Au Montalembert. Elena...

— Je vais m'arranger, le coupa-t-elle d'un ton sec et professionnel, pour qu'un agent de chez Knox t'y contacte. Beau travail, Sam. Bien joué. Roth ne le mérite pas, mais mon président va être aux anges. Je cours tout lui raconter immédiatement.

Ce coup de téléphone avait laissé Sam déprimé et une nouvelle coupe de champagne ne réussit guère à lui remonter le moral. Des clients de l'hôtel et un ou deux couples d'amoureux aixois commençaient à investir la terrasse ; leur gaieté abattit Sam encore plus. Sophie ne répondait pas au téléphone et la perspective de dîner seul, qui en général ne lui déplaisait pas, lui semblait ce soir sans attrait. Mais il n'avait pas le choix et passa donc la soirée avec son steak, son vin et ses pensées.

Sophie lui expliqua le lendemain au petit déjeuner pourquoi il n'avait pas réussi à la joindre. Persuadée que Sam dormirait toute la nuit, elle était allée voir un de ces films poignants dont raffolent les réalisateurs français. Elle avait pleuré à chaudes larmes – toujours un bon signe – et elle avait adoré.

— Philippe, conclut-elle, suggère un déjeuner d'adieu avant notre départ pour l'aéroport. Il connaît un petit restaurant à Cassis, sur le port, qui sert une bouillabaisse correcte. C'est à moins d'une heure de voiture. Qu'en pensez-vous ?

Du bien. Après une longue nuit de sommeil, Sam se sentait dans les meilleures dispositions et le spectacle de Cassis ne fit que renforcer cette impression. Par une journée ensoleillée, un village au bord de la mer offre quelque chose de magique ; et un village au bord de la mer cerné par douze excellents vignobles suffit à donner envie de jeter son passeport à l'eau et de s'installer là définitivement.

Philippe était déjà attablé sur la terrasse de Nino, un restaurant dont le propriétaire avait eu la bonne idée d'aménager trois chambres pour le cas où le déjeuner provoquerait une irrépressible envie de faire une petite sieste. Malgré l'heure matinale, la terrasse surplombant le port était presque pleine, ce qui reflétait un rare souci de ponctualité. La plupart des Provençaux étaient capables d'une certaine insouciance frisant même la désinvolture quant à l'exactitude, mais l'estomac, lui, exigeait d'être servi à midi. En regardant autour de lui, Sam apercevait des serviettes déjà rentrées dans les cols de chemise tandis qu'on étudiait le menu et qu'entre deux gorgées de vin du pays bien frais on comparait les mérites d'un gigot de lotte et ceux d'une daurade grillée. Un déjeuner est en effet une affaire sérieuse.

— J'avais pensé fêter nos aventures avec une coupe de champagne, déclara Philippe, mais l'endroit ne convient pas au champagne. Ici, on boit un vin de village. (Il prit une bouteille dans le seau à glace posé près de lui et exhiba l'étiquette.) Domaine du Paternel. Un trésor. (Il servit le vin et leva son verre.) À nos prochaines retrouvailles, où que ce soit. Aujourd'hui, Cassis. Demain... ajouta-t-il en lançant à Sam un clin d'œil complice... Los Angeles ?

Le déjeuner fut long et joyeux, et la bouillabaisse superbe ; malgré la tentation d'une sieste au premier étage, ils parvinrent à l'aéroport avec assez d'avance pour prendre un dernier café. Ces quelques jours passés ensemble avaient été, selon l'expression de Philippe, vraiment *chouettes*, un moment formidable. Puis, après des embrassades fortement aillées et la promesse de se retrouver à Bordeaux pour le mariage de Sophie, chacun partit de son côté : Sophie pour Bordeaux, Sam pour Paris et Philippe pour son bureau afin de travailler à son article. Il en avait déjà écrit dans sa tête la première partie : le coup de téléphone anonyme, la découverte du vin dans sa lointaine cachette, et la conscience d'être tombé sur un trésor. Les éventuels développements de l'histoire offraient des options aussi nombreuses que fascinantes. Philippe voyait quelques semaines fort distrayantes se profiler devant lui.

Comme l'appareil tournait le dos au soleil et prenait la direction du nord, Sam, par le hublot de sa fenêtre, eut un dernier regard sur la Méditerranée. Pour une fois, il n'était pas tellement excité à l'idée d'aller à Paris. Malgré quelques aspects parfois sordides, Marseille lui avait paru une ville fascinante et séduisante, une ville avec beaucoup de caractère. Son charme brutal, l'inaltérable bonne humeur et la jovialité de ses habitants lui plaisaient infiniment. Et, dans la réalité, Marseille méritait vraiment peu sa mauvaise réputation.

Un plafond de nuages recouvrait le centre de la France et l'avion atterrit dans un Paris monochrome, des couches de gris se superposant du sol jusqu'au ciel. Quelle étrange impression que de se dire que la lumière cristalline de Provence brillait à une heure de vol. Les Marseillais s'apprêtaient à présent à quitter leur travail et à se rassembler aux terrasses des cafés pour prendre l'apéritif et bavarder en regardant le soleil se coucher. Philippe devait être penché sur ses notes dans un des petits bars qui lui servaient de bureau. Tandis que le taxi de Sam dévalait le boulevard Raspail en direction de l'hôtel, il éprouva un bref pincement de nostalgie.

Il posa sa valise sur le lit et accrocha sa veste. Une douche rapide dissiperait cette impression d'être chiffonné que lui laissait toujours un trajet en avion ; il était en train d'enfiler son pantalon quand le téléphone de la chambre sonna. Il sautilla sur une jambe pour aller répondre.

— Alors, dis-moi... comment se débrouille une femme pour avoir un verre dans cet endroit ?

Son cœur accéléra brusquement.

— Elena ? C'est toi ? Tu es ici ?

— Qui d'autre attendais-tu ?

Planté là, son pantalon autour des chevilles, le visage rayonnant d'un grand sourire, Sam était l'homme le plus heureux de Paris.

24.

Les autres clients du Château Marmont ou bien étaient déjà partis travailler, ou bien étaient encore au lit. Sam avait la piscine pour lui tout seul. Il s'était acquitté de ses vingt longueurs quotidiennes et profitait à présent du soleil matinal.

« Les choses ne vont pas mal », se dit-il en se séchant les cheveux avec sa serviette. Elena et lui avaient fini par renoncer à se chamailler et évoluaient prudemment et agréablement vers une sorte de relation stable. Il avait hâte de lui faire rencontrer Philippe qui serait là la semaine prochaine pour interviewer l'homme qu'il appelait M. « Rote ». (S'il parlait convenablement anglais, il éprouvait comme nombre de ses compatriotes quelque difficulté à prononcer le *th*.) Et puis il y avait à l'horizon une ou deux possibilités intéressantes... Ne lui manquait plus qu'un café pour rendre cette matinée parfaite.

Il enfila son peignoir de bain et traversa la jungle soigneusement taillée qui sépare la piscine du corps de l'hôtel, s'arrêtant à la réception pour prendre le *L.A. Times*.

— Mr Levitt, vous avez un visiteur, le prévint un des affables jeunes gens de faction derrière le comptoir. Nous l'avons installé à votre table dans le coin.

« Encore Bookman », se dit Sam. Il passait souvent pour le petit déjeuner lorsqu'il était dans les parages. Pour chercher des indices, disait-il toujours. Sam s'avança dans le jardin tout en jetant un coup d'œil aux titres du jour. Quand il leva les yeux de son journal, un sourire s'esquissant déjà sur son visage, il s'arrêta soudain comme s'il venait de rentrer dans un mur.

Lui rendant son sourire tout en le saluant de la tête, impeccable dans un costume de lin mastic, Francis Reboul se leva en lui tendant la main.

— J'espère que vous me pardonnerez de passer ainsi à l'improviste, dit Reboul en s'asseyant et en faisant signe à Sam d'en faire autant. Je me suis permis de commander du café pour nous deux. (Il les servit.) Il n'y a rien de tel que la première tasse après un bain, vous ne trouvez pas ?

Sam, qui ne se sentait pas à la hauteur sur le plan vestimentaire, faisait un effort pour revenir de sa surprise. Son regard parcourut les tables voisines, cherchant des costauds en costume sombre.

Reboul, qui avait deviné ses pensées, secoua la tête.

— Pas de gardes du corps. Je me suis dit que ce serait plus confortable que nous ne soyons que tous les deux. (Il s'installa confortablement, parfaitement à l'aise, ses yeux brillant d'une lueur amusée dans son visage couleur d'acajou.) Heureusement que j'ai gardé la carte que vous m'aviez donnée. Si mes souvenirs sont exacts, vous étiez dans l'édition la dernière fois que nous nous sommes rencontrés. (Il trempa un sucre dans son café et le suça d'un air songeur.) Mais j'ai comme l'impression que la littérature pourrait être une activité un peu fade pour un homme doué de talents aussi particuliers. Je ne serais pas surpris d'apprendre que vous avez changé de carrière. Serait-il indiscret de vous demander ce que vous faites maintenant ?

Sam hésita un instant. Il avait généralement réponse à tout, mais Reboul le prenait complètement au dépourvu.

— L'édition tourne au ralenti en ce moment, répondit-il. J'en profite pour me reposer un peu entre deux projets.

— Excellent, fit Reboul, qui semblait sincèrement ravi. Si vous n'êtes pas trop occupé, j'ai une proposition qui pourrait vous intéresser. Mais il faut d'abord que vous me disiez quelque chose, juste entre nous. (Il se pencha en avant, les deux coudes sur la table, le menton appuyé sur ses mains jointes, le regard intense.) Comment avez-vous fait ?

Remerciements

Je remercie infiniment Anthony Barton, du Château Léoville Barton, d'avoir choisi les vins que je me suis arrangé pour faire voler. Il est rare pour un auteur de bénéficier de conseils aussi prompts, judicieux et savoureux.

Je remercie aussi David Charlton, mon maître en dactyloscopie, qui a eu la bonté de combler quelques-unes de mes nombreuses lacunes en matière de médecine légale.

Et enfin, *mille mercis** à Ailie Collins, dont l'efficacité et la bonne humeur constante me sont d'une aide si précieuse au fil des années.

* En français dans le texte. (*N.d.T.*)

Transcontinental
IMPRESSION
IMPRIMERIE GAGNÉ

IMPRIMÉ AU CANADA

Dépôt légal : avril 2010